БОЛЬШОЙ
РОМАН

Алессандро Барикко
В ИЗДАТЕЛЬСТВЕ «АЗБУКА»

Замки гнева
Море-океан
Шёлк
City
Гомер. Илиада
1900-й. Легенда о пианисте
Такая история
Без крови
Мистер Гвин
Трижды на заре
Юная Невеста

Алессандро Барикко

ЮНАЯ НЕВЕСТА

Издательство «Иностранка»
МОСКВА

УДК 821.131.1
ББК 84(4Ита)-44
    Б 25

Alessandro Baricco
LA SPOSA GIOVANE

Перевод с итальянского Анастасии Миролюбовой

Оформление обложки Вадима Пожидаева

Издание подготовлено при участии издательства «Азбука».

ISBN 978-5-389-11031-1

Ступенек вверх тридцать шесть, каменных; старик ступает по ним не спеша, раздумчиво, словно подбирает их одну за другой и сталкивает на первый этаж: он — пастух, они — кроткое стадо. Имя ему Модесто. Он служит в этом доме пятьдесят девять лет, он тут священнодействует.

Достигнув последней ступеньки, он останавливается перед длинным коридором, не сулящим устремленному в его даль взгляду никаких неожиданностей: справа — запертые комнаты Господ, числом пять; слева — семь окон, затененных деревянными, покрытыми лаком ставнями.

Едва светает.

Он останавливается, потому как должен пополнить собственную свою систему счисления. Каждое утро, которому он в этом доме кладет начало, отмечается всегда одним и тем же манером. Так прибавляется очередная единица, затерянная среди тысяч. Итог головокружительный, но старика это не смущает: неизменное отправление одного и того же утреннего ритуала согласуется, по всей видимости, с профессией Модесто, уживается с его наклонностями и типично для его жизненного пути.

Проведя ладонями по отглаженной ткани брюк — с боков, на уровне бедер, — он поднимает голову, совсем чуть-чуть, и движется дальше размеренным шагом. Даже не взглянув на двери Господ, он останавливается у первого окна по левой стороне и открывает ставни. Все движения плавные, отточенные. Они повторяются возле каждого окна, семикратно. Только после старик оборачивается, пристально вглядываясь в свет зари, в ее лучи, проникающие сквозь стекла: каждый оттенок знаком ему, и по этому замесу он уже знает, какой испечется день, даже порой улавливает размытые обещания. Ведь ему доверятся все — поэтому важно составить мнение.

Облачно, ветер слабый, делает он вывод. Так тому и быть.

Теперь он идет обратно по коридору, на этот раз вдоль стены, которую прежде игнорировал. Открывает двери Господ, одну за другой, и громко провозглашает начало дня одной и той же фразой, которую повторяет пятикратно, не меняя ни тембра, ни каденции.

Доброе утро. Небо облачное, ветер слабый.

Потом исчезает.

Пропадает без следа, а после появляется снова, невозмутимый, в зале для завтраков.

———

От давних событий, о подробностях коих ныне предпочтительнее умолчать, происходит обычай этакого торжественного пробуждения, которое переходит затем в длительный праздник. Это затрагивает весь дом. Правило строгое: до зари — ни за что, никогда. Все дожидаются света и танца Модесто у семи окон. Только тогда полагают законченными заключение в постели, слепоту сна и азартные игры сновидений. Их, мертвых, голос старика возвращает к жизни.

Тогда они высыпают из комнат, не одевшись, даже на радостях позабыв плеснуть водою в глаза, сполоснуть руки. С запахами сна в волосах, на зубах, мы натыкаемся друг на друга в коридорах, на лестнице, на пороге комнат и обнимаемся, словно изгнанники, возвратившиеся домой после дальней дороги, не веря, что избежали тех чар, какие, нам кажется, несет с собой ночь. Необходимость сна разлучает нас, но теперь мы опять составляем семейство и устремляемся на первый этаж, в большую залу для завтраков, словно воды подземной реки, пробившиеся к свету, в предчувствии моря. Чаще всего мы делаем это со смехом.

Море, нам сервированное, это именно стол для завтраков — никому никогда не приходило в голову употреблять это слово в единственном числе, только множественному под силу воплотить их богатство, изобилие и несоразмерную длительность. Очевиден языческий смысл благодарения — за то, что освободились от бедствия, сна. Все устраивают незаметно скользящий Модесто и два официанта. В обычные дни, не постные и не праздничные, как правило, подаются тосты из белого и черного хлеба; завитки масла на серебре, девять разных конфитюров, мед, жареные каштаны, восемь видов выпечки, особенно непревзойденные круассаны; четыре торта разной расцветки, вазочка взбитых сливок, фрукты по сезону, всегда разрезанные с геометрической точностью; редкие экзотические плоды, красиво разложенные; свежие яйца, сваренные всмятку, в мешочек и вкрутую; местные сыры и в придачу английский сыр под названием стилтон; ветчина с фермы, нарезанная тонкими ломтиками; кубики мортаделлы; консоме из телятины; фрукты, сваренные в красном вине; печенье из кукурузной муки, анисовые пастилки для пищеварения, марципаны с черешней, ореховое мороженое, кувшин горячего шоколада, швейцарское пралине, лакричные конфеты, арахис, молоко, кофе.

Чай здесь терпеть не могут, настой ромашки приберегают для больных.

Можно теперь понять, каким образом трапеза, у большинства людей проходящая торопливо, в преддверии наступающего дня, в этом доме обретает вид сложной и нескончаемой процедуры. Как правило, за столом сидят часами, до самого обеда, которого в этом доме практически и не бывает, если иметь в виду итальянский вариант более ярко выраженного *ланча*. Только иногда, порознь или группами, некоторые встают из-за стола, но потом опять появляются — приодетые или умытые, — опорожнив желудки. Но такие подробности трудно заметить. Ибо за большим столом, следует сказать, собираются гости дня, родственники, знакомые, просители, поставщики, время от времени — власть имущие; священники, монахи и монашенки; каждый со своим делом. В обычае семейства принимать их так, в течение бурного завтрака, в обстановке подчеркнуто неформальной, которую никто, даже сами Господа, не отличил бы от сугубого высокомерия, позволяющего принимать гостей в пижамах. Однако свежесть масла и баснословный вкус песочного теста склоняют чашу весов в пользу сердечности. Шампанское, всегда ледяное и предлагаемое щедро, само по себе предполагает большое скопление народа.

Вот почему за столом для завтраков нередко собираются десятки людей одновременно, хотя семейство состоит всего из пяти человек, даже из четырех, поскольку Сын отбыл на Остров.

Отец, Мать, Дочь, Дядя.

Сын — временно за границей, на Острове.

Наконец, около трех дня, они расходятся по комнатам и через полчаса являются во всем блеске элегантности и свежести, что признано всеми. Основные послеполуденные (они не обедают!) часы они посвящают делам — фабрике, имениям, дому. В сумерках каждый трудится над собой — размышляет, изобретает, молится — или наносит визиты вежливости. Ужин, поздний и скромный, съедают как придется, без церемоний: над ним уже простираются крылья ночи, и мы склоняемся к тому, чтобы пренебречь ужином как некой бесполезной преамбулой. Не прощаясь, уходим в безымянность сна, и каждый как может противостоит ей.

Говорят, что на протяжении ста трех лет все в нашем семействе умирали ночью.

Этим объясняется все.

В частности, этим утром обсуждалось, насколько полезны морские купания, по каковому поводу Монсеньор, смакуя взбитые сливки, высказывал некоторые сомнения. Он прозревал в данном времяпрепровождении какую-то чуждую мораль, для него очевидную, которую, однако, не осмеливался точно определить.

Отец, человек благодушный и в случае надобности крутой, поддразнивал его:

— Будьте так любезны, Монсеньор, напомните мне, где именно в Евангелии говорится об этом.

Ответ, впрочем уклончивый, был заглушен звоном дверного колокольчика, на который сотрапезники не обратили особого внимания: очевидно, прибыл очередной гость.

Им занялся Модесто. Открыл дверь, и перед ним предстала Юная Невеста.

Ее в этот день не ждали, а может, и ждали, да позабыли.

— Я — Юная Невеста, — сказала я.

— Вы, — отметил Модесто.

Потом огляделся вокруг, изумленный, ведь неразумно было ей приезжать одной, и тем не менее нигде в обозримом пространстве не было ни души.

— Меня высадили в начале аллеи, — сказала я, — мне хотелось спокойно пройтись пешком. — И я поставила чемодан на землю.

Мне, как и было оговорено ранее, исполнилось восемнадцать лет.

— Я бы нисколько не постеснялась появиться на пляже голой, — высказывалась тем временем Мать, — если учесть мою всегдашнюю склонность к горам, — (многие из ее силлогизмов были воистину неразрешимыми). — Я могла бы назвать с десяток человек, — продолжала она, — которых видела голыми, я уж и не говорю о детях или умирающих стариках, которых тем не менее в глубине души тоже отчасти понимаю.

Она прервалась, когда Юная Невеста вошла в залу, и не столько потому, что вошла Юная Невеста, сколько потому, что ее появление предварило тревожное покашливание Модесто. Я, кажется, не упомянул, что за пятьдесят девять лет службы старик довел до совершенства горловую систему сообщения, и звуки, ее составляющие, все в семействе научились распознавать, словно знаки клинописи. Не прибегая к насильственности слов, покашливание — в редких случаях два подряд, когда требовалось выразить нечто особо связное, — прибавлялось к его жестам как суффикс, проясняющий смысл. Например, он не подавал к столу ни одного блюда, не сопроводив его точно выверенными колебаниями гортани, которым доверял свое собственное, сугубо личное мнение. В этих особых обстоятельствах он представил Юную Невесту свистом, едва намеченным, будто звучащим в отдалении. Все знали, что так он призывает к весьма высокому уровню бдительности, и по этой причине Мать прервала речь, чего она обычно не делала, ибо при нормальном положении вещей объявить ей о приходе гостя было все равно что налить воды в бокал, — она со временем эту воду спокойно выпьет. Итак, она прервала речь и повернулась к вновь прибывшей. Отметила ее незрелый возраст и заученным тоном светской дамы воскликнула:

— Милая!

Она не имела ни малейшего понятия о том, кто пришел.

Потом в ее мозгу, традиционно неупорядоченном, должно быть, сработала какая-то пружина, потому что она осведомилась:

— Какой сейчас месяц?

Кто-то ответил: «Май»; возможно, Аптекарь, которого шампанское наделило необычайной проницательностью.

Тогда Мать снова повторила: «Милая!» — на этот раз осознавая, что она говорит.

Невероятно, как скоро в этом году наступил май, подумала она.

Юная Невеста слегка поклонилась.

Они об этом позабыли, только и всего. Сговор состоялся, но уже так давно, что совсем выпал из памяти. Из чего не следовало, будто они передумали: это было бы в любом случае слишком утомительно. Решение, единожды принятое, никогда не менялось в этом доме по очевидным причинам экономии чувств. Просто время пролетело с быстротой, которую им не было нужды отмечать особо, и вот Юная Невеста явилась, вероятно, чтобы осуществить то, что давно было оговорено и всеми одобрено официально: а именно — выйти замуж за Сына.

Неловко в этом признаваться, но, если взглянуть в лицо фактам, Сына-то в наличии не было.

Тем не менее никому не показалось, будто следует безотлагательно оповещать о данной подробности, и каждый без колебаний присоединился к общему радостному хору, где радушие сплеталось с удивлением, облегчением и благодарностью: последняя относилась к тому, как все-таки жизнь идет своим чередом, невзирая на присущую людям рассеянность.

Поскольку я уже начал рассказывать эту историю (несмотря на обескураживающий ряд превратностей, осадивших меня и способных отбить охоту к подобному предприятию), не могу теперь уклониться и вынужден начертать ясную геометрию фактов, по мере того как понемногу припоминаю их, отметив, например, что Сын и Юная Невеста встретились, когда ей было пятнадцать, а ему — восемнадцать, постепенно различая и различив наконец друг в друге великолепный способ подправить сердечную робость и тоску молодых лет. Сейчас не время объяснять, каким именно путем, важно только уяснить себе, что скорее стремительным, они счастливо пришли к заключению, что хотят пожениться. Обеим семьям это показалось непостижимым по причинам, которые я, возможно, отыщу способ прояснить, если снедающая меня грусть в конце концов ослабит хватку: но необычная личность Сына, которую я рано или поздно соберусь с силами описать, и прозрачно-чистая решимость Юной Невесты, передать которую я надеюсь с подобающей ясностью рассудка, требовали определенной осмотрительности. Договорились, что будет лучше для начала наметить план, и приступили к распутыванию некоторых узлов технического характера, самым сложным из которых оказалось не полное совпадение социального статуса соответствующих семейств. Следует напомнить, что Юная Невеста была единственной дочерью богатого скотовода, который, впрочем, мог похвастаться пятью сыновьями, между тем как Сын принадлежал к семейству, которое вот уже три поколения подряд проедало доходы от производства и продажи шерстяных и прочих тканей довольно высокого качества. Ни с той ни с другой стороны не чувствовалось недостатка в деньгах, но, вне всякого сомнения, то были деньги разных видов: одни извлекались из ткацких станков и старинной элегантности, другие — из навоза и атавистически тяжкого труда. Образовалась как бы просека, пограничная полоса мирной нерешимости, которую преодолели одним прыжком, когда Отец торжественно провозгласил, что союз между богатством агрария и промышленным капиталом представляет собой естественное развитие предпринимательства на севере, указующее светлый путь преобразований для всей Страны. Из чего следовала необходимость преодолеть социальные предрассудки, уже отошедшие в прошлое. Поскольку он изложил дело в столь точных выражениях, сдобрив, правда, их логическую последовательность парой искусно вставленных крепких словечек, его аргументы всем показались убедительными, столь безупречно сочетались в них доводы рассудка и верная интуиция. Мы решили, что будет правильным подождать, пока Юная Невеста станет немного менее юной: следовало избежать возможных сравнений столь взвешенного брачного союза с определенного рода крестьянскими свадьбами, поспешными и отчасти основанными на животных инстинктах. Ожидание для всех не только оказалось несомненно удобным, но и послужило, как мы полагали, утверждению высших моральных норм. Местный клир не замедлил это одобрить, невзирая на крепкие словечки.

Значит, все-таки они поженятся.

Коль скоро я добрался до этого и нынче вечером ощущаю некую безрассудную легкость, может быть происходящую от унылого освещения в комнате, которую мне предоставили, добавлю, пожалуй, кое-что по поводу событий, произошедших вскоре после объявления помолвки, причем, что удивительно, свершились они по инициативе отца Юной Невесты. Он был молчаливым, может быть, по-своему добрым, но вспыльчивым, вернее, непредсказуемым, будто бы слишком тесное общение с некоторыми породами тяглового скота внушило и ему склонность к неожиданным поступкам, чаще всего безобидным. Однажды он скупыми словами сообщил о решении привести свои дела к окончательному и бесповоротному процветанию, переселившись в Аргентину и приступив к завоеванию тамошних пастбищ и рынков, которые изучил во всех подробностях в течение препаскуднейших зимних вечеров, замкнутых в кольцо тумана. Знакомые, слегка обескураженные, полагали, что подобное решение, должно быть, принято не без оглядки на супружеское ложе, давно остывшее, либо причиной тому явилась некая иллюзия запоздалой молодости, а возможно, ребяческое стремление к безбрежным горизонтам. Он пересек океан с тремя сыновьями, из необходимости, и Юной Невестой, ради утешения. Жену и других троих сыновей он оставил присматривать за имением, предполагая вызвать их к себе, если дела пойдут как надо, что и сделал через год, продав заодно все, чем владел на родине, целое свое состояние поставив на карточный стол пампы. Перед отъездом, однако, он нанес визит Отцу Сына и заверил собственной честью, что Юная Невеста явится в день своего восемнадцатилетия, чтобы исполнить брачное обещание. Мужчины обменялись рукопожатием, которое в тех краях почиталось священным.

Что же до обрученных, то они, прощаясь, выглядели спокойными, но в глубине души испытывали растерянность: должен заметить, что у них были веские причины и для того, и для другого.

После отплытия аграриев Отец несколько дней провел в несвойственном ему молчании, пренебрегая делами и привычками, которым обычно следовал неукоснительно. Некоторые из самых его незабвенных решений порождались подобными исчезновениями, поэтому все семейство уже смирилось с мыслью о великих новшествах, когда Отец в конечном итоге высказался, коротко, но чрезвычайно ясно. Он изрек, что у каждого есть своя Аргентина и что для них, текстильных магнатов, Аргентина именуется Англией. В самом деле, он уже какое-то время поглядывал через Ла-Манш на некоторые фабрики, где самым поразительным образом было оптимизировано производство, что, между прочим, сулило головокружительные прибыли. Надо бы съездить посмотреть, сказал Отец, и, возможно, что-то позаимствовать. Потом обернулся к Сыну:

— Ты и поедешь, раз обзавелся семьей, — заявил он, несколько передергивая факты и опережая события.

И Сын уехал, вполне счастливый, с заданием выведать английские секреты и позаимствовать лучшее ради будущего процветания семейства. Никто не ожидал, что он вернется через пару недель, а потом никто и не заметил, что с его отъезда прошло много месяцев. Уж так они жили, игнорируя последовательность дней, поскольку стремились проживать один-единственный день, совершенный, повторяемый до бесконечности: стало быть, время было для них феноменом нестойких очертаний, звуком иноземной речи.

Каждое утро Сын присылал нам из Англии телеграмму, неизменно гласившую: *Все хорошо.*

Это, очевидно, имело отношение к ночной угрозе. То была единственная новость, которую мы, в доме, действительно хотели бы узнать: что касается остального, нас слишком бы отяготило сомнение в том, что Сын во время длительного отсутствия неукоснительно исполняет свой долг, скрашивая его разве что каким-нибудь невинным развлечением, в чем ему можно только позавидовать. Очевидно, что в Англии было много ткацких фабрик, и все они требовали глубокого изучения. Мы перестали ждать: ведь все равно он когда-нибудь вернется.

Но первой вернулась Юная Невеста.

— Дай посмотреть на тебя, — после того как убрали со стола, сказала Мать, сияя.

На нее посмотрели все.

Все отметили что-то такое, некий оттенок, который не смогли бы определить.

Определил его Дядя, пробудившись ото сна, которому долго уже предавался, растянувшись в кресле и крепко сжимая в руке бокал с шампанским.

— Синьорина, должно быть, вы много танцевали в тех краях. Рад за вас.

Затем он глотнул шампанского и снова заснул.

Дядю в семействе весьма привечали, он был незаменим. Таинственный синдром, которым, насколько известно, страдал он один, погружал его в беспробудный сон, из которого он выходил на очень короткое время только для того, чтобы принять участие в общей беседе, причем настолько точно попадал в тему, что мы стали воспринимать это как должное вопреки всякой логике. Каким-то образом он был в состоянии воспринимать, даже во сне, все, что происходило вокруг и что говорилось. И еще: то, что он являлся к нам из иных измерений, часто придавало ему такую ясность суждения, такой особенный взгляд на вещи, что его пробуждения и соответствующие высказывания приобретали смысл оракула, служили прорицаниями. Нас это очень ободряло, мы знали, что в любой момент можем рассчитывать, приберегая его про запас, на ум настолько умиротворенный, что он, словно по волшебству, мог распутать любой узел, какой бы ни завязался в домашних спорах и повседневном быту. К тому же нас далеко не огорчало изумление посторонних при виде таких необычайных свершений, что придавало нашему дому еще более привлекательности. Возвращаясь к своим семьям, гости нередко уносили с собой обросшие легендами воспоминания о человеке, который мог во сне совершать самые сложные движения: то, как он держал в руке бокал шампанского, полный до краев, — всего лишь бледный пример. Во сне он мог побриться, и нередко видели, как он спал, играя на фортепиано, хотя и в несколько замедленном темпе. Некоторые утверждали, будто видели, как Дядя, совершенно погруженный в сон, играл в теннис и просыпался только при смене сторон. Я сообщаю об этом в силу долга хрониста, но еще и потому, что сегодня, кажется, усмотрел некую связность во всем, что происходит со мной, и вот уже пару часов мне не трудно расслышать звуки, которые в иную пору, в тисках уныния, онемевают: услышал, например, как позвякивает жизнь, часто-часто, рассыпаясь по мраморному столику времени, словно жемчуг с порванной нитки. Развлекать живущих — особая потребность.

— Вот именно: вы, наверное, много танцевали, — закивала Мать, — лучше и не скажешь; и к тому же я никогда не любила фруктовые торты, — (многие из ее силлогизмов были и в самом деле неразрешимы).

— Танго? — взволновался нотариус Бертини, для которого уже в самом слове «танго» заключалось нечто сексуальное.

— Танго? В Аргентине? В тамошнем климате? — осведомилась Мать, обращаясь непонятно к кому.

— Уверяю вас: танго совершенно точно происходит из Аргентины, — стоял на своем нотариус.

Тут послышался голос Юной Невесты:

— Я три года прожила в пампе. До ближайшего соседа — два дня верхом. Раз в месяц священник привозил нам причастие. Раз в год мы отправлялись в Буэнос-Айрес, рассчитывая успеть к открытию сезона в Опере. Но нам никогда не удавалось прибыть вовремя. Все всегда оказывалось дальше, чем мы думали.

— Это решительно непрактично, — заметила Мать. — Как твой отец собирался найти тебе мужа в подобных обстоятельствах?

Кто-то напомнил ей, что Юная Невеста уже обручена с Сыном.

— Ну разумеется. Полагаете, я не знаю? Я высказала общее соображение.

— Но что правда, то правда, — продолжила Юная Невеста, — они там танцуют танго. Это очень красиво.

Наметилось таинственное колебание пространства, которое всегда предвещало прихотливые пробуждения Дяди.

— Танго дарит прошлое тому, кто не жил, и будущее тому, кто не надеется, — изрек он и задремал опять.

Тем временем Дочь, сидевшая рядом с Отцом, молча смотрела.

Она была тех же лет, что и Юная Невеста, тех лет, к слову сказать, которые для меня уже миновали давным-давно. (Сейчас, вновь думая о Дочери, я вижу одно большое смутное пятно, а кроме того, что любопытно, втуне пропадающую красоту, невиданную и бесполезную. К тому же это возвращает меня к истории, которую я не преминул бы рассказать не только ради спасения собственной жизни, но и по той простой причине, что рассказывать истории — мое ремесло.) Итак, я говорил о Дочери. Она унаследовала красоту, которая в тех краях считалась аристократической: хотя местным женщинам и достались отдельные блистательные черты, строго определенные — разрез глаз, стройные ноги, волосы цвета воронова крыла, — но не в таком полном, законченном совершенстве — очевидно, век за веком, на протяжении бесчисленных поколений эта порода улучшалась, — какое еще сохранялось в Матери, а в Дочери чудесным образом повторилось, позлащенное счастливым возрастом юности. И до сих пор все складно. Но правда обнаруживает себя, стоит мне выйти из моей элегантной неподвижности и сделать хоть шаг, непременно срывая весь банк невезения, по той неустранимой причине, что я — калека. Несчастный случай, мне было тогда около восьми лет. Кем-то оставленная телега, вдруг забаловавшая лошадь, на узкой городской улочке, зажатой между домами. Знаменитые врачи, приглашенные из-за границы, довершили дело, не потому, что были некомпетентны, просто не повезло, они добились, чего могли, сложным путем, и очень болезненным. Теперь я хожу, приволакивая ногу, правую: ей, вычерченной по совершенному шаблону, придан косный, несуразный вес, и не понимает она, как пребывать в гармонии с остальным телом. Нога эта тяжелая, отчасти мертвая. Да и рука не совсем в порядке, она, похоже, может находиться только в трех положениях, не слишком-то изящных. Всякий сказал бы, что это искусственная рука. Итак, видеть, как я встаю со стула и иду кому-нибудь навстречу, поздороваться или так, из вежливости, — незаурядный опыт, слово «разочарование» его описывает весьма бледно. Красивая превыше всех похвал, я разламываюсь при первом же шаге, и восхищение мгновенно обрушивается в жалость, а желание — в чувство неловкости.

Все это я знаю. Но нет у меня ни склонности к печали, ни таланта боли.

Когда разговор перешел на позднее цветение черешен, Юная Невеста подошла к Дочери, наклонилась и расцеловала ее в обе щеки. Та не поднялась: хотела в данный миг оставаться красивой. Они заговорили вполголоса, как давние подруги, а может, из-за внезапно возникшего желания подружиться. Дочь интуитивно поняла, что Юная Невеста научилась быть далекой и вряд ли откажется от этого навыка, избрав именно такую, особую и неподражаемую, форму элегантности. Подумала: она всегда будет наивной и таинственной. Ее станут обожать.

Потом, когда уже вынесли первые пустые бутылки из-под шампанского, общая беседа вдруг застопорилась, словно по волшебству, и в наступившей тишине Юная Невеста очень чинно осведомилась, можно ли ей задать вопрос.

— Ну разумеется, милая.

— Сына нет дома?

— Сына... — повторила Мать, она тянула время, надеясь, что Дядя выйдет из иного измерения и поможет ей, но этого не случилось. — Ах да, Сына, конечно, — спохватилась она. — Сын, конечно же, мой Сын: да, хороший вопрос. — Она обернулась к Отцу. — Дорогой?..

— В Англии, — заявил Отец с абсолютной безмятежностью. — Вы, синьорина, имеете представление о том, что такое Англия?

— Думаю, да.

— Ну так вот: Сын в Англии. Но не иначе как временно.

— В том смысле, что он вернется?

— Без всякого сомнения, едва лишь мы вызовем его.

— И вы его правда вызовете?

— Определенно нам следует это сделать как можно скорее.

— Прямо сегодня, — постановила Мать с ослепительной улыбкой, которую приберегала для особых случаев.

Итак, в послеполуденный час — но не раньше, чем завершилась литургия завтрака, — Отец сел за письменный стол и позволил себе принять к сведению то, что случилось. Он обыкновенно делал это с некоторой задержкой, я имею в виду, принимал к сведению события жизни, в особенности те, которые привносили в ее течение определенный беспорядок, — мне, однако, не хотелось бы, чтобы такую его привычку сочли неким проявлением вялой и тупой неспособности к действию. На самом деле он осторожничал сознательно, по медицинским показаниям. Все знали, что Отец родился с пороком, который сам любил называть «неисправность сердца»; выражение это не следует воспринимать в сентиментальном контексте: что-то в его сердечной мышце непоправимо расщепилось, еще когда он зародышем прирастал в материнской утробе, и в итоге он родился со стеклянным сердцем: с этим в конце концов примирились сначала врачи, а потом и он сам. Средств против этого не существовало, разве что осторожное, замедленное сближение с миром. Если верить справочникам, какое-то особенное потрясение или спонтанно испытанное чувство могло в единый миг унести его. Отец, однако, знал по опыту, что не следует все воспринимать буквально. Он понимал, что живет взаймы, и выработал привычку к осторожности, склонность к порядку и смутную уверенность в том, что его влечет по жизни особая судьба. Отсюда же проистекало его природное добродушие и от случая к случаю вспышки гнева. Хочется добавить, что смерти Отец не боялся: он проникся к ней таким доверием, чуть ли не сжился с ней, что знал определенно: ее приход он почувствует вовремя и употребит во благо.

Итак, в тот день он не слишком спешил принять к сведению приезд Юной Невесты. И все же, разобравшись с обычными неотложными делами, он не стал уклоняться от задачи, ожидавшей решения: согнулся над письменным столом и сочинил текст телеграммы, руководствуясь элементарными требованиями экономии средств и стремлением достичь неопровержимой ясности, в данном случае необходимой. Он записал следующие слова:

Вернулась Юная Невеста. Поторопись.

Мать, со своей стороны, решила, это даже не обсуждается, раз у Юной Невесты нет собственного дома, а в каком-то смысле и семьи, поскольку все имущество и вся родня перекочевали в Южную Америку, она останется ждать здесь, у них. Поскольку Монсеньор не высказал никаких возражений морального толка, исходя из отсутствия Сына под семейным кровом, Модесто приказали подготовить комнату для гостей, о которой, однако, было известно очень мало, ибо в доме никто никогда не гостил. Хотя все были более-менее уверены, что она где-то есть. В последний раз была.

— Не нужно никакой комнаты для гостей, она будет спать у меня, — спокойно сказала Дочь. Она изрекла это сидя, а в таких случаях ее красота исключала какие бы то ни было возражения. — Если, конечно, ей это будет приятно, — добавила Дочь, ловя взгляд Юной Невесты.

— Будет, — кивнула Юная Невеста.

Так она стала частью Дома; воображая, что войдет туда женой, она теперь оказалась сестрой, дочерью, гостьей, приятной компанией, украшением. Она естественно вошла в эти роли и быстро усвоила тон и темп жизни, ей неизвестной. Она отмечала странности, но редко доходила до того, чтобы заподозрить абсурд. Через несколько дней после приезда Модесто подошел к ней и со всем уважением дал понять, что, если она ощущает необходимость в каких-то разъяснениях, он почтет за честь их предоставить.

— Есть какие-то правила, которые я не уловила? — спросила Юная Невеста.

— Если позволите, я бы назвал четыре основных, чтобы не разбрасываться по пустякам, — сказал Модесто.

— Давайте.

— Ночи следует бояться, думаю, вам об этом уже сообщили.

— Да, конечно. Сперва мне казалось, будто это легенда, но потом я поняла, что нет.

— Именно так. Это первое.

— Бояться ночи.

— Скажем, относиться с почтением.

— С почтением.

— Точно. Второе: несчастье не приветству-
ется.

— Ах нет?

— Поймите меня правильно: это следует
воспринимать в определенных рамках.

— И в каких же?

— За три поколения семейство накопило по-
рядочное состояние, и если бы вы вздумали
спросить у меня, как удалось достичь подобного
результата, я бы позволил себе отметить следующие причины: талант, отвага, коварство, счаст-
ливые заблуждения и глубокое, цельное, непо-
грешимое чувство экономии. Говоря об экономии, я имею в виду не только деньги. В этом
семействе ничего не тратится даром. Вы следите
за моей мыслью?

— Конечно.

— Видите ли, все здесь склоняются к мне-
нию, что несчастье — напрасная трата времени,
а стало быть, роскошь, которой еще определен-
ное количество лет никто не сможет себе позволить. Возможно, в будущем. Но сейчас ни одному
обстоятельству жизни, каким бы оно ни было
тяжелым, не позволяется вырвать у духа что-то
большее, нежели кратковременная растерянность. Несчастье крадет время у радости, а на
радости зиждется благоденствие.

— Можно, я выскажу замечание?

— Пожалуйста.

— Если они так одержимы экономией, откуда берутся такие завтраки?

— Это не завтраки, а обряды благодарения.

— А-а.

— И потом, я говорил о чувстве экономии, не о скупости, качестве, которое семейству совершенно чуждо.

— Понимаю.

— Конечно понимаете: уверен, такие оттенки вы в состоянии уловить.

— Спасибо.

— Есть третье правило, которое я хотел бы предложить вашему вниманию, если могу еще рассчитывать на ваше терпение.

— Можете. Что до меня, я бы вас слушала часами.

— Вы читаете книги?

— Да.

— Не читайте.

— Нет?

— Вы видите книги в этом доме?

— И правда, теперь, когда вы сказали мне об этом, — нет, не вижу.

— Вот именно. Здесь нету книг.

— Почему?

— В семействе в высшей степени доверяются вещам, людям и самим себе. И не усматривают никакой необходимости прибегать к паллиативам.

— Не уверена, что поняла вас.

— Все уже есть в жизни, если прислушиваться к ней, а книги без толку отвлекают от этого занятия, которому все в семье предаются с таким рвением, что в комнатах дома человек, погруженный в чтение, непременно покажется дезертиром.

— Поразительно.

— Скажем, спорно. Но считаю уместным подчеркнуть, что речь идет о неписаном законе, который в доме соблюдается очень строго. Могу я сделать вам смиренное признание?

— Вы мне окажете честь.

— Я люблю читать, поэтому прячу книгу у себя в комнате и посвящаю ей какое-то время перед сном. Но лишь одну, не больше. Как только прочту — порву. Не то чтобы я вам советовал поступать так же, вы просто должны понять всю серьезность положения.

— Да, думаю, я поняла.

— Хорошо.

— Вроде было четвертое правило?

— Да, но оно практически очевидно.

— Говорите.

— Как вы знаете, сердце Отца неисправно.

— Знаю, конечно.

— Не ждите, что он сойдет со стези неуклонной, необходимой невозмутимости. И естественно, не требуйте этого от него.

— Естественно. Он в самом деле рискует умереть в любую минуту, как все говорят?

— Боюсь, что да. Но вы должны иметь в виду, что в дневные часы он не рискует практически ничем.

— Ах да.

— Хорошо. Думаю, пока это все. Нет, еще одно.

Модесто заколебался. Он спрашивал себя, так ли уж необходимо учить Юную Невесту азбуке, или это будут напрасные старания, а может, даже и неосмотрительные. Он помолчал немного, потом сухо кашлянул два раза подряд.

— Можете ли вы запомнить то, что сейчас услышали?

— Как вы кашляете?

— Это не просто кашель, а предупреждение. Будьте добры считать это со всем почтением разработанной мною системой, которая призвана уберегать вас от возможных ошибок.

— Повторите, пожалуйста, еще раз.

Модесто в точности воспроизвел свое горловое послание.

— Два сухих покашливания, одно за другим, поняла. Обратить внимание.

— Точно.

— Много еще таких знаков?

— Больше, чем я намерен открыть вам до свадьбы, синьорина.

— Справедливо.

— Теперь мне пора идти.

— Вы были мне очень полезны, Модесто.

— На это я и надеялся.

— Могу я вас чем-нибудь отблагодарить?

Старик поднял на нее взгляд. На мгновение почувствовал, что способен высказать какое-нибудь из ребяческих хотений, без всякого стеснения пришедших в голову, но потом вспомнил, что смиренное величие его службы зиждется на соблюдении дистанции, так что потупил взор и, поклонившись едва заметно, сказал всего лишь, что случай не замедлит представиться. И удалился, сначала сделав несколько шагов назад, а затем развернувшись, так, будто порыв ветра, а не его собственный выбор заставил манкировать почтением, — техника, которой он владел с непревзойденным мастерством.

Но были, разумеется, и *особые дни*.

Например, каждую вторую пятницу Отец рано утром отправлялся в город: часто в сопровождении доверенного кардиолога, доктора Ачерби: посещал банк; обходил доверенных лиц, поставлявших услуги, — портного, парикмахера, дантиста; а также тех, кто снабжал его сигарами, башмаками, шляпами, тросточками для прогулок; иногда, к вящей своей пользе, посещал исповедника; поглощал в должное время основательный обед и, наконец, позволял себе то, что именовал элегантным променадом. Элегантность задавалась размеренным шагом и избранным маршрутом: первый никогда не нарушался, второй проходил по центральным улицам. Почти как правило, он завершал день в борделе, но, имея в виду неисправность сердца, считал это, так сказать, гигиенической процедурой. Убежденный в том, что определенный выброс гуморов необходим для равновесия в организме, он в этом доме неизменно находил тех, кто мог это вызвать почти безболезненным способом: болезненным он полагал любое возбуждение, от которого могло бы дать трещину его стеклянное сердце. Ожидать от Матери подобной осмотрительности было бы напрасно, к тому же они спали в разных комнатах, поскольку, хотя их любовь была глубока и взаимна, они, как будет видно из дальнейшего, избрали друг друга не по причинам, имеющим отношение к телу. Из борделя Отец выходил под вечер и пускался в обратный путь. В дороге он размышлял: отсюда часто происходили его яростные решения.

Раз в месяц, по произвольным числам, приезжал, за двое суток предупреждая телеграммой, Командини, ответственный за продажи. Тогда всеми обыкновениями жертвовали ради срочных дел, приглашения отменялись, завтраки сокращались до предела, и вся жизнь Дома подчинялась бурному течению завораживающих речей этого нервного, дерганого человечка, который, собственными неисповедимыми путями, всегда разузнавал, что людям захочется носить в следующем году или как пробудить в них желание раскупить ткани, которые Отец распорядился произвести год назад. Он ошибался редко, объяснялся на семи языках, все, что имел, проигрывал в карты и отдавал предпочтение рыжим, то есть рыжим женщинам. Несколько лет назад он остался цел и невредим при ужасающем крушении поезда и с тех пор никогда не ел белого мяса и не играл в шахматы, никому не объясняя причин.

Во время поста палитра завтраков тускнела, в праздничные дни все одевались в белое, а в ночь тезоименитства, которое приходилось на июнь, до рассвета играли в азартные игры. В первую субботу месяца устраивали концерт, собирая окрестных любителей; изредка приглашали какого-нибудь прославленного певца, потом одаривая его пиджаками из английского твида. В последний день лета Дядя устраивал велосипедные гонки, в которых каждый мог принять участие, а на время Карнавала из года в год нанимали венгерского фокусника, который со временем сделался чем-то вроде добродушного тамады. На Непорочное Зачатие закалывали свинью под руководством забойщика из Норчи, знаменитого своим заиканием; а в ноябре, в годы, когда туман сгущался до нестерпимой плотности, устраивался, часто по внезапно принятому решению, продиктованному отчаянием, в высшей степени торжественный бал, во время которого, бросая вызов молочной мгле за окнами, старательно зажигались свечи, в количестве со всех точек зрения поразительном: будто трепетный солнечный свет летних предзакатных часов отражался от паркета, где скользили тени танцующих, всех обращая к некоему югу души.

Зато обычные дни, в самом деле, как мы уже сказали, строго придерживаясь фактов и стремясь к их сжатому изложению, — обычные дни были все наичудеснейшим образом одинаковы.

На этом основывался некий динамический порядок, который в семье считали непогрешимым.

Но пока мы очутились в июне, проскользнув туда вместе с английскими телеграммами, которые откладывали возвращение Сына, почти незаметно, но в конечном итоге осмысленно, такими благоразумными и четкими были они. В конце концов, раньше его явилась Великая Жара — удушающая, беспощадная, непременно в свой срок приходящая каждое лето в эти края, — и Юная Невеста ощутила всю ее тяжесть, почти позабытую после жизни в Аргентине, однажды ночью опознав ее окончательно, с абсолютной уверенностью, лежа в жирной, влажной темноте и ворочаясь в постели без сна, а ведь она обычно входила в сон без труда, блаженно, единственная в этом доме. Ворочаясь, она порывистым движением, ее саму удивившим, сдернула ночную рубашку, куда-то швырнула ее наугад, потом повернулась на бок, чтобы льняные простыни хоть на время освежили нагое тело. Я это проделала без стеснения в густой темноте, в этой комнате, где Дочь, в своей постели, в нескольких шагах, подружка, с которой мы уже сблизились, почти как сестры. Обычно мы разговаривали, потушив свет, обменивались несколькими фразами, делились секретами, потом прощались и входили в ночь, и сейчас я впервые задалась вопросом, что за тихая гортанная песнь доносится от постели Дочери каждый вечер, когда гаснет свет и иссякают секреты и слова, после обычного прощания — песнь эта колыхалась в воздухе долгое время, и я никак не могла дослушать ее до конца, всегда проваливаясь в сон, одна в этом доме без страха. Но то была не песнь — она отдавалась стоном, почти животным, — и нынче, в летнюю душную ночь, мне захотелось понять, что это такое, ведь жара все равно не давала уснуть, а тело без одежды делало меня совсем другой. И вот я какое-то время вслушивалась в песнь, что колыхалась в воздухе, чтобы лучше ее понять, а потом, в темноте, без околичностей спокойно спросила:

— Что это?

Песнь перестала колыхаться.

На какое-то время воцарилась тишина.

Потом Дочь отозвалась:

— Ты не знаешь, что это?

— Не знаю.

— Правда?

— Правда.

— Как это возможно?

Юная Невеста знала ответ, в точности могла припомнить, в какой из дней выбрала неведение, и даже объяснить во всех подробностях, почему сделала такой выбор. Но она попросту повторила:

— Не знаю.

Она услышала, как хихикнула Дочь, потом еще какой-то тихий шорох, потом спичка чиркнула, и засверкала, и приблизилась к фитилю — свет керосиновой лампы на миг показался чрезмерно ярким, но скоро вещи приобрели бережные, четкие очертания, все вещи, включая нагое тело Юной Невесты, которая не пошевелилась, осталась так, как была, и Дочь увидела это и улыбнулась.

— Это мой способ войти в ночь, — сказала она. — Если я не сделаю это, не смогу заснуть, это мой способ.

— Это и правда так трудно? — спросила Юная Невеста.

— Что — это?

— Войти в ночь, для вас.

— Да. Тебе смешно?

— Нет, но тут какая-то тайна, мне непросто понять.

— Но ведь тебе известна вся история?

— Не совсем.

— Никто в этой семье ни разу не умер днем, это ты знаешь.

— Да. Не верю в это, но знаю. А ты веришь?

— Я знаю истории всех, кто умер ночью, всех и каждого, с самого детства знаю.

— Может, это легенды.

— Троих я видела.

— Это нормально, многие умирают ночью.

— Да, но не все. Здесь даже дети ночью родятся мертвыми.

— Ты меня пугаешь.

— Вот видишь, ты начинаешь понимать. — И тут Дочь сбросила ночную рубашку точным движением здоровой руки. Сбросила ночную рубашку и повернулась на бок, как Юная Невеста. Нагие, они глядели друг на дружку. Они были одного возраста, а в таком возрасте не существует уродства, ибо все сияет в первозданном свете.

Какое-то время они молчали, многое нужно было рассмотреть.

Потом Дочь поведала, что в пятнадцать-шестнадцать лет ей пришло в голову поднять мятеж против этой истории насчет умерших в ночи, и она думала на полном серьезе, что все вокруг спятили, и возмущалась, как сейчас вспоминается, со всем неистовством. Но никто не всполошился, отметила она. Просто переждали, пока пройдет время. И вот однажды днем Дядя сказал, чтобы я прилегла рядом с ним. Я так и сделала, и стала ждать, когда он проснется. Не открывая глаз, он долго говорил со мной, может быть во сне, и объяснил, что каждый — хозяин своей жизни, но есть вещи, которые от нас не зависят, они у нас в крови, и нет смысла возмущаться, зря тратя время и силы. Тогда я сказала, что глупо думать, будто судьба может передаваться от отца к сыну; сказала, что сама идея судьбы — всего лишь фантазия, сказочка, призванная оправдать собственную трусость. И прибавила, что умру при свете дня, даже если придется покончить с собой между рассветом и закатом. Он долго спал, потом открыл глаза и сказал: разумеется, судьба тут ни при чем, не она переходит по наследству, еще чего не хватало. Тут что-то гораздо более глубинное, животное. По наследству переходит *страх*, сказал он. *Особенный страх.*

Юная Невеста заметила, как Дочь во время разговора слегка раздвинула ноги, а потом сдвинула их, стиснув руку, которая теперь медленно двигалась между бедер.

Теперь мне ясно, что это потаенное заражение, я замечаю, как каждым жестом, каждым словом отцы и матери только и делают, что *передают по наследству страх*. Даже когда на первый взгляд они нас учат стойкости и решительности, и в конечном итоге *более всего* когда они нас учат стойкости и решительности, на самом деле они нам передают по наследству страх, ибо все, что доступно им из решительного и стойкого, — это то, чем они спасаются от страха, и зачастую от страха особенного, четко очерченного. Итак, хоть кажется, будто семьи учат детей счастью, их, наоборот, заражают страхом. Это проделывают ежечасно, всю впечатляюще долгую череду дней, ни на миг не ослабляя хватки, абсолютно безнаказанно, ужасающе действенно, и никак нельзя разорвать сжимающееся кольцо вещей.

Дочь слегка вытянула ноги.

— Так что я боюсь умереть ночью, — сказала она, — и у меня есть единственный способ войти в сон, мой собственный.

Юная Невеста молчала.

Глаз не сводила с руки Дочери, с того, что она делала. С пальцев.

— Что это? — снова спросила она.

Вместо ответа Дочь легла на спину, принимая позу, ей знакомую. Ее рука, словно ракушка, лежала на животе, а пальцы шарили. Юная Невеста стала припоминать, где она видела такое движение, и ей настолько было в новинку то, что перед нею открывалось, что она в конце концов вспомнила, как палец Матери нащупывал в шкатулке маленькую перламутровую пуговичку, которую она приберегала для манжеты единственной мужниной рубашки. Разумеется, речь шла об иной области бытия, но движение определенно было то же самое, по крайней мере до тех пор, пока оно не стало круговым и слишком быстрым, даже неистовым, чтобы нащупывать, — ей пришло в голову, что так ловят насекомое или давят какую-то мелкую тварь. И впрямь, Дочь вдруг начала время от времени выгибать спину и как-то странно дышать, словно в агонии. И все же какая изящная, подумала Юная Невеста, даже притягательная, подумала: что бы там Дочь ни давила внутри себя, тело ее казалось созданным для такого смертоубийства, так мерно, словно волна, располагалось оно в пространстве, даже изъяны исчезли, обратились в ничто — какая рука высохла, никто бы не мог сказать; какая из раздвинутых ног не действует, никто бы не мог припомнить.

На миг прекратив убиение, но не оборачиваясь, не открывая глаз, она сказала:

— Ты правда не знаешь, что это?

— Нет, — отвечала Юная Невеста.

Дочь рассмеялась, это получилось красиво.

— Ты не врешь?

— Нет.

Тогда Дочь затянула свою гортанную песню, сходную с жалобой, которую Юная Невеста знала и не знала, и снова принялась давить какую-то мошку, но на этот раз оставив всякую скромность, какую до сих пор соблюдала. Теперь она двигала бедрами, а когда запрокинула голову, рот у нее приоткрылся, и мне показалось, будто предел перейден и явлено откровение: мелькнула мысль, молниеносная, что, хотя лицо Дочери и пришло издалека, оно рождено было, чтобы оказаться здесь, у начала волны, которая вздымалась над подушкой. Было оно таким истинным, окончательным, что вся красота Дочери — которой она днем чаровала мир — вдруг предстала мне тем, чем она была, то есть маской, уловкой — чуть более, чем обещанием. Я спросила себя, такова ли она для всех, даже для меня, но вслух — вполголоса — задала другой вопрос, тот же самый:

— Что это?

Дочь, не останавливаясь, открыла глаза и направила взгляд на Юную Невесту. Но на самом деле вряд ли она смотрела, глаза ее были устремлены в пространство, и губы томно раскрылись. Она продолжала свою гортанную песнь, не прекращала шарить пальцами, не говорила.

— Ничего, что я на тебя смотрю? — спросила Юная Невеста.

Дочь отрицательно покачала головой. Не говоря ни слова, продолжала ласкать себя. Куда-то внутри себя добралась. Но поскольку глаза ее были устремлены на Юную Невесту, Юной Невесте показалось, будто между ними больше нет никакого расстояния, физического ли, нематериального, и она задала еще один вопрос:

— Так ты убиваешь свой страх? Находишь его и убиваешь?

Дочь повернула голову, уставилась на потолок, а потом закрыла глаза.

— Это как оторваться, — сказала она. — От всего. Ты не должна бояться или падать на дно, — сказала. — Ты отрываешься от всякой вещи, и безмерная усталость влечет тебя в ночь и дарит сон.

Потом лицо ее вновь обрело те окончательные очертания, голова запрокинулась, рот приоткрылся. Зазвучала гортанная песнь, пальцы между бедер задвигались в спешке, то и дело исчезая внутри. Казалось, она мало-помалу теряет способность дышать, и в какой-то момент ею овладел такой стремительный порыв, что Юная Невеста могла бы принять его за порыв отчаяния, если бы не поняла уже, что именно этого добивалась Дочь каждый вечер, когда гасили свет, докапываясь до какой-то точки внутри себя, и она, эта точка, каким-то образом, судя по всему, оказывала сопротивление, не зря же я вижу теперь, как она тщится выкопать кончиками пальцев то, что изысканные манеры и хорошее воспитание глубоко зарыли за время долгого дня. То был спуск, без сомнения, и с каждым шагом все более крутой и опасный. Потом она задрожала, но не прекращала делать это, пока гортанная песнь не прервалась. Тогда она свернулась калачиком, легла на бок, подогнув ноги и втянув голову в плечи, — на моих глазах она становилась маленькой девочкой, сворачивалась в клубок, обхватив себя руками, уткнувшись подбородком в грудь, дыша размеренно, тихо.

Что же такое я видела, подумалось мне.

Что мне теперь делать, подумалось. Не шевелиться, не шуметь. Спать.

Но Дочь открыла глаза, нашла мой взгляд и со странной твердостью что-то произнесла.

Я не расслышала, и тогда Дочь повторила то, что сказала, громче:

— Попробуй.

Я не пошевелилась. Ничего не сказала.

Дочь смотрела на меня пристально, с кротостью до того безграничной, что она казалась злорадством. Протянула руку и прикрутила фитиль лампы.

— Попробуй, — повторила.

И еще раз:

— Попробуй.

Именно в этот миг Юной Невесте пришло на ум, озарением, то, о чем сейчас я должен поведать, эпизод, случившийся за девять лет до того, так, как мне заблагорассудилось восстановить его только что, среди ночи. Подчеркиваю: *среди ночи*, ибо мне случается просыпаться внезапно в ранний час, до зари, и в совершенно ясном уме просчитывать, насколько разорена моя жизнь, или следить за геометрией ее распада, словно за порчей яблока, забытого в углу: я с ней сражаюсь как раз тем, что восстанавливаю эту историю, или другие истории, и это короткими перебежками меня уводит прочь от моих выкладок — а иногда и не уводит. Мой отец делает то же самое, воображая, как проходит поле для гольфа, лунка за лункой. Уточняет, что лунок девять. Он симпатичный старичок, ему восемьдесят четыре года. Как бы в этот миг это ни казалось мне невероятным, никто не может сказать, будет ли он жив, когда я допишу последнюю страницу этой книги: согласно общему правилу, ВСЕ, кто жив, пока ты пишешь книгу, должны дожить до ее конца, по той простой причине, что написание книги, для того, кто ее пишет, длится единый миг, каким бы до крайности долгим он ни был, стало быть, неразумно предполагать, будто кто-то может пребывать внутри его живым и мертвым одновременно, тем более мой отец, симпатичный старичок, который по ночам, отгоняя демонов, мысленно играет в гольф, выбирает клюшки, рассчитывает силу удара; в то время как я, в отличие от него, как уже говорилось, раскапываю эту историю или другие. Именно поэтому, если не по какой-то другой причине, я точно знаю, что случилось припомнить Юной Невесте в тот самый миг, когда Дочь пристально глядела на нее, повторяя одно и то же слово. *Попробуй.* Знаю, что озарением явилось воспоминание, которое до тех пор не приходило ей на ум, которое она ревниво хранила все девять лет, а именно воспоминание о том, как однажды зимним утром бабушка велела позвать ее к себе в комнату, где, еще не совсем состарившись, она силилась умереть достойно, на роскошной постели, затравленная болезнью, которой никто не мог объяснить. Каким бы абсурдным ни казалось это, я точно знаю первые слова, которые она произнесла, — слова умирающей, обращенные к девочке:

— Какая ты еще маленькая.

Именно эти слова.

— Но я не могу ждать, пока ты вырастешь, я умираю, это последний раз, когда я могу поговорить с тобой. Если не понимаешь, просто слушай и запоминай: рано или поздно поймешь. Ясно?

— Да.

Они не были одни в комнате. Бабушка говорила вполголоса. Юная Невеста ее боялась и обожала. Эта женщина родила ее отца, а значит находилась в непререкаемом и торжественном отдалении. Когда бабушка велела ей сесть и придвинуть стул поближе к кровати, девочка подумала, что до сих пор никогда не была к ней так близко, и с любопытством вдохнула запах: пахло не смертью, а закатом.

— Слушай хорошенько, маленькая женщина. Я росла, как и ты, единственной дочерью среди многих сыновей. Если не считать мертвецов, нас было шестеро. Плюс еще отец. Люди у нас имеют дело со скотиной, насилуют землю каждый день и редко позволяют себе роскошь думать. Матери быстро стареют, у дочерей крепкие ягодицы и белые груди, зимы нескончаемы, летом неимоверная духота. Понимаешь ли ты, в чем проблема?

Она, хоть и смутно, поняла.

Бабушка открыла глаза и устремила на нее взгляд.

— Не думай, что получится убежать. Они бегают быстрее. А когда им не хочется бегать, ждут, пока ты вернешься, и берут свое.

Бабушка снова закрыла глаза и поморщилась, что-то пожирало ее изнутри, вгрызаясь постепенно, внезапно и непредсказуемо. Когда это проходило, она снова могла дышать и сплевывала на пол зловонную мокроту, расцвеченную цветом, какой только смерть может изобрести.

— Знаешь ли, как я поступила? — спросила она.

Юная Невеста не знала.

— Я разжигала в них желание, пока они не обезумели, потом поддалась, а потом всю жизнь их держала за яйца. Ты никогда не задавалась вопросом, кто в этой семье главный?

Юная Невеста отрицательно покачала головой.

— Я, глупенькая.

От очередного укуса прервалось дыхание. Я сплюнула эту гадость, уже и не желая знать куда. Главное, чтобы не на себя. Попадало и на простыни, но большей частью на пол.

— Мне теперь пятьдесят три года, я помираю и могу точно сказать тебе: не делай как я.

Это не совет, это приказ. Не делай как я. Понимаешь?

— Но почему?

Она спросила как взрослая, чуть ли не сварливым тоном. В единый миг в ней не осталось ничего детского. Это понравилось мне. Я приподнялась на подушках и поняла, что с этой девочкой можно быть суровой, злобной и прихотливой, какой я и была, с превеликим моим удовольствием, каждый миг этой самой жизни, которая теперь от меня ускользает с каждым приступом боли в животе.

— Потому, что это не действует, — сказала я. — Если всех довести до безумия, ни в чем уже нет порядка, и рано или поздно ты оказываешься брюхатой.

— Что-что?

— Твой брат на тебя наседает, всовывает в тебя свой живчик и делает ребеночка в животе. Если только твой отец не опережает его. Теперь понятно?

Юная Невеста даже глазом не моргнула.

— Да вроде бы.

— И не воображай, будто это противно. В большинстве случаев и ты от этого сходишь с ума.

Юная Невеста промолчала.

— Но этого тебе сейчас не понять. Просто запомни как следует. Ясно?

— Да.

— Стало быть, не делай как я, это неправильно. Я знаю, что ты должна делать, слушай хорошенько, я тебе скажу, что ты должна делать. Для этого я тебя позвала сюда, чтобы сказать, что ты должна делать.

Она выпростала руки из-под одеяла, без них никак не получалось как следует объясниться. Руки были некрасивые, но каждый мог видеть: будь их воля, они не скоро бы скрылись под землей.

— Забудь о том, что у тебя между ног. Не прячь, этого недостаточно. Просто забудь. Даже ты сама не должна знать, что у тебя там есть. Это не существует. Забудь, что ты женщина, не одевайся как женщина, не двигайся как женщина, остриги волосы, двигайся как парень, не смотрись в зеркало, пусть руки у тебя будут натруженные и кожа облезет от солнца, не желай никогда быть красивой, не старайся понравиться никому, даже самой себе. Ты должна стать отвратной, тогда они оставят тебя в покое, забудут о тебе. Понимаешь?

Я кивнула.

— Не танцуй, никогда не спи с ними рядом, не мойся, привыкни к тому, что воняешь, не смотри на других мужчин, не заводи подруг среди женщин, выбирай самую тяжелую работу, падай с ног от усталости, не верь историям любви и не предавайся мечтам.

Я слушала. Бабушка не сводила с меня глаз, хотела быть уверенной, что я слушаю. Потом понизила голос, было понятно, что она переходит к самому трудному.

— Одну только вещь имей в виду: женщину, какова ты есть, храни в глазах и губах, все остальное выкинь, но оставь глаза и губы — однажды они тебе понадобятся.

С минуту она поразмыслила.

— Если придется, откажись от глаз, приучись ходить, потупив взгляд в землю. Но губы сохрани, иначе не будешь знать, откуда начать, когда придет пора.

Юная Невеста смотрела на бабушку, и глаза ее казались огромными.

— И когда же придет пора? — спросила она.

— Когда ты встретишь мужчину, который тебе понравится. Тогда бери его и выходи замуж, вот все, что нужно делать. Но чем-то его нужно будет взять, и тогда тебе понадобятся губы. Потом волосы, руки, глаза, голос, лукавство, терпение, упругий живот. Ты должна будешь всему научиться заново, и поскорее, иначе они поспеют прежде его. Понимаешь, о чем я?

— Да.

— Вот увидишь, все вернется в мгновение ока. Ты только должна поторопиться. Ты меня внимательно слушала?

— Да.

— Тогда повтори.

Юная Невеста повторила, слово в слово, а если не могла припомнить точного выражения, добавляла что-то от себя.

— Ты — настоящая женщина и не дашь себя в обиду, — сказала бабушка. Так и сказала: *женщина*.

Провела рукой по воздуху, словно хотела приласкать.

— А теперь иди, — сказала.

Накатил очередной приступ, она заскулила жалобно, по-звериному. Сунула руки под одеяло, прижала туда, где смерть пожирала ее, к животу.

Юная Невеста встала, недолго постояла неподвижно около постели. Мне запало в голову спросить одну вещь, но было непросто найти слова.

— Мой отец, — начала я и осеклась.

Бабушка обернулась, оглядела меня тревожно, словно затравленный зверь.

Но я была девочкой, которая не даст себя в обиду, и это не остановило меня.

— Мой отец родился таким образом?

— Каким образом?

— Мой отец родился от кого-то из семьи, таким образом?

Бабушка поглядела на меня, и то, что она подумала, я могу осознать сегодня: никто никогда не умирает по-настоящему, кровь продолжает течь, унося в вечность все лучшее и все худшее, что есть в нас.

— Дай мне помереть спокойно, девочка, — сказала она. — Теперь дай мне спокойно помереть.

Поэтому той душной ночью, когда Дочь, глядя на меня с кротостью, которая могла обернуться и злорадством, твердила, чтобы я попробовала, то есть вспомнила, что у меня между ног, я поняла сразу, что это не просто какой-то момент, а та самая встреча, о которой говорила бабушка, сплевывая смерть вокруг себя: то, что для Дочери могло показаться игрой, для меня должно было стать порогом. Я это откладывала систематически, с яростной решимостью, ибо тоже, как все, унаследовала страх и посвятила ему добрую долю своей жизни. Я преуспела во всем, чему меня научили. Но с тех пор как мы с Сыном познакомились, я знала, что не хватает последнего движения, возможно — самого трудного. Нужно было всему научиться заново, а поскольку он уже находился в пути, следовало поторопиться. Мне подумалось, что кроткий голос Дочери — злорадный голос Дочери — это подарок судьбы. И поскольку она меня убеждала попробовать, я подчинилась и попробовала, прекрасно зная, что пускаюсь в путь, откуда нет возврата.

Как иногда бывает в жизни, она вдруг поняла, что прекрасно знает, как действовать, хотя смысл этих действий был ей непонятен. То был дебют, первый бал, ей казалось, что она долгие годы втайне практиковалась, упражнялась часами, которых память не сохранила. Без спешки она дожидалась верных движений, всплывавших одно за другим из глуби воспоминаний, отрывочных, но точных во всех подробностях. Ей понравилось, когда дыхание стало пением, и радовали те мгновения, когда оно прерывалось. В голове у нее не было никаких мыслей до тех пор, пока ей не подумалось, что она хочет на себя посмотреть, иначе все это останется тенью, сотканной из ощущений, она же хотела, чтобы был образ, настоящий. Итак, она открыла глаза, и то, что увидела, на долгие годы осталось у меня в памяти образом, способным, при всей своей простоте, объяснить вещи, или обозначить начало, или пробудить фантазию. Особенно первая вспышка, когда все было неожиданным. Это так меня и не покинуло. Ибо мы рождаемся много раз, и в этой вспышке я родилась для жизни, которая потом стала моей, истинной, непоправимой, неистовой. Так что и сегодня, когда все уже случилось и наступила пора забвения, мне трудно припомнить, в самом ли деле Дочь в какой-то момент встала на колени у моей постели, и гладила меня по голове, и целовала в виски; может быть, мне это приснилось, но зато я помню совершенно точно, что она в самом деле зажала мне рот, когда я в конце не смогла подавить крик, в этом я совершенно уверена, потому что до сих пор помню вкус этой ладони и странное желание лизнуть ее, по-звериному.

— Будешь кричать, тебя услышат, — сказала Дочь, отнимая руку от ее рта.

— Я кричала?

— Да.

— Какой стыд.

— Почему? Просто тебя могут услышать.

— Как я устала.

— Спи.

— А ты?

— Спи, я тоже засну.

— Какой стыд.

— Спи.

На следующее утро, за столом для завтраков, все показалось ей гораздо более простым и по какой-то необъяснимой причине более неторопливым. Она заметила, что проскальзывает в беседу и выскальзывает из нее с такой легкостью, которой никогда от себя не ожидала. И не только у нее самой сложилось такое впечатление. Она ощутила некий оттенок галантности в манерах инспектора почтовых ведомств и уверилась в том, что взгляд Матери останавливается на ней *по-настоящему*, даже чуть-чуть нерешительно, будто в раздумье. Поискала глазами вазочку со сливками, на которые до тех пор не решалась посягнуть, и не успела отыскать ее взглядом, как Модесто уже протянул ей лакомство, недвусмысленно кашлянув два раза, в виде комментария. Она глядела не понимая. Он, протягивая вазочку, поклонился и прошептал, еле слышно, но отчетливо:

— Вы сегодня сияете, синьорина. Будьте осторожны.

———

Сын начал приезжать в середине июня, и через несколько дней всем стало ясно, что это затянется. Первой прибыла датская пианола в разобранном виде, и пока еще можно было подумать, что некий взбесившийся фрагмент выломился из логической цепочки, которую Сын, несомненно, выстроил, пересылая свои вещи, и вырвался вперед, с некоторым даже комическим эффектом. Но на следующий день были присланы два валлийских барана фордширской породы, а с ними вместе запечатанный баул с надписью ВЗРЫВЧАТЫЕ ВЕЩЕСТВА. Затем последовали, день за днем, кульман, сделанный в Манчестере, три натюрморта, макет шотландского хлева, рабочий комбинезон, пара зубчатых колес непонятного назначения, двенадцать пледов из легчайшей шерсти, пустая картонка для шляп и стенд с расписанием поездов, отправляющихся с вокзала Ватерлоо в Лондоне. Поскольку конца этой процессии не предвиделось, Отец счел своим долгом успокоить семью, заявив, что все под контролем и, как Сын заблаговременно предупредил письмом, возвращение из Англии происходит путем, наиболее подходящим для того, чтобы избежать ненужной суеты и пагубных осложнений. Модесто, которому не так-то легко было устроить двух баранов фордширской породы, позволил себе сухо кашлянуть один раз, и тогда Отец вынужден был добавить, что какие-то минимальные неудобства принимались в расчет. Но поскольку у Модесто, по всей видимости, продолжало першить в горле, Отец в заключение заверил, что, как ему кажется, было бы разумно предположить, что Сын вернется до отъезда на курорт.

Этот курорт для семейства представлял собой всем надоевшее обыкновение, которое выливалось в пару недель, проводимых во французских горах: все это воспринимали как обязанность и сносили с элегантным смирением. В таких обстоятельствах дом по традиции оставляли совершенно пустым, тут вступал в силу инстинкт земледельца, имевший отношение к севообороту: думалось, что следует оставить дом под паром, чтобы по возвращении снова засеять его и рассчитывать на буйные всходы отпрысков семейства и, разумеется, на обильный, как всегда, урожай. Поэтому слуг тоже отправляли по домам, и даже Модесто предлагали воспользоваться тем, что всякий назвал бы отпуском, а он воспринимал как ничем не оправданный перебой во времени. Обычно это происходило в первой половине августа: отсюда следовало, что процессия предметов протянется еще месяца полтора. Стояла середина июня.

— Не поняла, он приезжает или не приезжает? — спросила Юная Невеста у Дочери, когда они остались вдвоем после завтрака.

— Приезжает, приезжает каждый день понемногу, закончит приезжать где-то через месяцок, — ответила Дочь и добавила: — Ты же знаешь, какой он.

Юная Невеста знала, какой он, но не так чтобы очень хорошо, или в деталях, или как-то по-особенному определенно. В действительности Сын нравился ей именно за то, что был непонятен, в отличие от своих сверстников, в которых попросту нечего было понимать. При первой встрече юноша поразил ее недужным изяществом движений и какой-то предсмертной красотой. Он был здоровехонек, насколько девушка знала, но только тот, чьи дни сочтены, мог бы так двигаться, так одеваться, а главное — так упорно молчать, заговаривая лишь время от времени, вполголоса, с напряжением, ничем не оправданным. Казалось, он был отмечен чем-то; если помыслить, что трагической судьбой, то это слишком отдавало бы литературой, и Юная Невеста быстро, по наитию, научилась такие мысли превозмогать. На самом деле под маской этих тончайших черт, этих движений человека, одолевающего недуг, Сын скрывал ужасающую жадность к жизни и редкую силу воображения: оба эти достоинства в деревенской глуши просто резали глаз своей бесполезностью. Все находили его в высшей степени умным, а это, по общему ощущению, было все равно что находить его анемичным или дальтоником: безобидный элегантный недуг. Но Отец, издалека, наблюдал за ним и знал; Мать, с более близкого расстояния, заботилась о нем и догадывалась: их мальчик не такой, как все. Своим инстинктом зверька это поняла и Юная Невеста, когда ей едва исполнилось пятнадцать лет. Так, она оказывалась с ним рядом, нечаянно и ненавязчиво, всякий раз, как предоставлялась возможность: а поскольку с годами она сотворила из себя этакую маленькую дикарку, то сделалась для Сына чем-то вроде верного, немного странного друга, младшего, диковатого и такого же таинственного, как он сам. Они пребывали в молчании. Юная Невеста особенно пребывала в молчании. Оба любили не договаривать фразы, предпочитали лучи определенных граней и равнодушно относились к любому виду убожества. Странно было видеть их вместе, он такой элегантный, она нарочито неухоженная; если и можно было углядеть что-то женственное в ком-то из этой парочки, то, скорее всего, в нем. Они начали говорить о себе, когда вообще говорили: *мы*. Видели, как они бегут вверх по течению реки, но по всей необъятной равнине не различить было и следа тех, кто за ними гнался. Видели, как, взобравшись на колокольню, они самозабвенно копируют надписи, выгравированные внутри большого колокола. Видели, как они часами, не говоря ни слова, торчат на фабрике, наблюдая за движениями рабочих и записывая цифры в маленькую тетрадку. В конце концов к ним пригляделись до того, что они стали невидимыми. Когда это случилось, Юная Невеста вспомнила слова бабушки и, не раздумывая долго, решила, что вот наступила пора, которую та предвосхитила или даже посулила. Мыться она не мылась, и не причесывалась, и носила все те же запачканные платья, и под ногтями чернела земля, а из промежности по-прежнему исходил резкий запах; да и глаза, от которых она давно уже отреклась, двигались без какой-либо тайны, с плутоватой тупостью домашней скотины. Но когда однажды Сын, прервав молчание, которое Юная Невеста сочла совершенным по длительности, обернулся к ней и задал какой-то простой вопрос, она вместо ответа прибегла к тому, что годами берегла для него, и поцеловала его.

Для Сына то был не первый поцелуй, но в каком-то смысле все-таки первый. Ранее, в разное время, его целовали две женщины; как и полагалось для паренька такого типа — без возраста, — две зрелые женщины, подруги Матери. Обе все сделали сами, одна в уголке сада, другая в купе поезда. Ему больше всего помнилась, в обеих, прилипчивая помада. Первая была скромнее, но вторая, обуреваемая желанием, скользнула вниз, взяла в рот, двигала языком долго и медленно, пока он не кончил. За этим ничего не последовало, ведь обе, как ни крути, были женщины развитые, но при случайных встречах Сын читал в их глазах долгое тайное повествование, составлявшее часть того, что его больше всего возбуждало. Что же до настоящего, скажем так, полного совокупления, то Отец, человек добродушный и при случае буйный, назначил таковому срок в нужный момент и в семейном борделе, в городе. Поскольку там умели мгновенно распознавать чьи угодно предпочтения, все произошло таким способом, какой Сын счел уместным и удобным. Юноша оценил быстроту, с которой первая женщина в его жизни поняла, что он будет делать это не раздеваясь, с открытыми глазами, а она должна это делать молча, полностью обнаженной. Была она высокая, говорила с южным акцентом и величественно раздвигала ноги. Знакомясь, она провела пальцем по его губам — бескровным, как у больного, но прекрасным, словно у мученика, — и сказала, что он будет иметь успех у женщин, ведь ничто не возбуждает их так, как тайна.

То есть у него было прошлое, у Сына, и все-таки девственный поцелуй Юной Невесты ошеломил его: потому что Юная Невеста была сорванцом, потому что сама мысль об этом была немыслима, потому что он мыслил об этом всегда и потому что теперь он разгадал ее тайну. Кроме того, она так целовалась... Это взволновало его, и даже несколько месяцев спустя, когда Мать, присев рядом, попросила объяснить, ради всего святого, какого дьявола он хочет обручиться с девчонкой, у которой, насколько она может судить, нет ни груди, ни задницы, ни лодыжек,

Сын погрузился в одно из своих нескончаемых молчаний, а потом сказал только: ее губы. Мать порылась в воспоминаниях, отыскивая хоть что-нибудь, что связало бы ту девчонку с понятием *губы*, но так ничего и не нашла. Тогда она глубоко вздохнула и наказала себе на будущее приглядеться внимательнее: очевидно, она что-то упустила. Если угодно, в тот миг у нее зародилось любопытство, которое годы спустя внушило ей тот инстинктивный и памятный жест, какой мы еще увидим. А в тех обстоятельствах она изрекла всего лишь: «Впрочем, все знают, что реки текут к морю, а не наоборот» (многие из ее силлогизмов были поистине неразрешимы).

После этого первого поцелуя дела ускорились в геометрической прогрессии, сначала втайне, потом при солнечном свете, породив наконец отложенное бракосочетание, составляющее основу истории, которую я сейчас вам рассказываю и по поводу которой вчера один мой старый друг спросил простодушно, не связана ли она с теми невзгодами, какие убивают меня в последние месяцы, то есть в период, когда я снова и снова пытаюсь эту историю рассказать, и она, думает старый друг, может быть, как-то связана с историей, которая меня убивает. Верный ответ — нет — было нетрудно дать, и все же я промолчал и ничего не ответил, и все потому, что пришлось бы объяснять, как естественно то, что мы пишем, связано с тем, что мы есть или были, но что касается меня, то я никогда не думал, будто ремесло писателя может вылиться в литературную обработку фактов собственной жизни, в мучительную стратагему изменения имен и иногда последовательности событий, в то время как самый верный смысл того, что мы можем сделать, для меня всегда заключался в том, чтобы соблюсти между нашей жизнью и нашими писаниями великолепную дистанцию; намеченная вначале воображением, восполненная затем ремеслом и прилежанием, она нас уводит в иное место, где возникают миры, прежде не существовавшие, в которых все, что с нами интимно и неисповедимо связано, возникает вновь, но нам почти неведомое и осененное грацией изящнейших форм, словно окаменелости или мотыльки. Определенно, старому другу было бы трудно понять. По этой причине я промолчал и ничего не ответил, но сейчас вижу, что полезней было бы расхохотаться и спросить у него, да и у себя тоже, как, черт его дери, может быть связана история семейства, которое завтракает до трех часов дня, или Дяди, который дрыхнет все время, с тем внезапным раздраем, который меня стирает с лица земли (по крайней мере, у меня такое ощущение). Никак, совершенно никак. Я так не поступил не только потому, что нынче мне очень трудно смеяться, но и потому, что знаю точно: где-то в моих рассуждениях кроется утонченная фальшь. Раз уж окаменелости и мотыльки там присутствуют и ты начинаешь их обнаруживать, даже пока пишешь, порой не нужно ждать, когда пройдут годы и ты перечитаешь все с холодным рассудком, — время от времени ты прозреваешь их в раскаленной печи, когда куешь железо. Например, я должен был бы изложить старому другу, как, описывая Юную Невесту, я иногда меняю, более или менее резко, лицо рассказчика, и поначалу мне кажется, что это относится к техническим изыскам или имеет до некоторой степени эстетическую природу, во всяком случае, определенно усложняет читателю жизнь; само по себе оно не так уж и важно, однако производит докучное впечатление виртуозности, с которой первое время я даже пытался бороться, но затем смирился с очевидным фактом, что попросту не могу прочувствовать ту или иную фразу, если не проскользну в другое лицо, как будто твердая опора на ясный и различимый голос повествователя уже не вызывает у меня доверия или я не способен уже оценить ее по достоинству. Я утратил наивность, необходимую для такого притворства. Наконец, мне пришлось бы признаться перед старым другом, что, даже не разобравшись во всех подробностях, я прихожу к мысли, что существует некое созвучие между перебоями, скольжением лиц рассказчика в моих фразах и тем, что довелось мне обнаружить за эти месяцы по поводу себя самого и окружающих, иными словами, возможного

вторжения в жизнь событий, не имеющих направления; они тем самым не являются историями, тем самым их невозможно рассказать, и в
конечном итоге они представляют собой загад-
ки без определенной формы, предназначенные
для того, чтобы вынести мозг, что и требовалось
доказать в моем случае. Почти невольно их оше-
ломительная нелепость отразилась в приеме ремесла, которым я зарабатываю себе на жизнь, и
мне хочется сейчас сказать моему старому другу, попросить его, пусть и задним числом, чтобы
он понял: да, я пишу книгу, которая, возможно,
связана с тем, что меня убивает, но умоляю считать это рискованным и очень личным допуще-
нием, бесполезным для воспоминаний, поскольку, в конце концов, твердую опору в реальности
имеет только то, что я пишу, — это и меня удив-
ляет, клянусь; да, в конце концов, несмотря на
то, что происходит вокруг и внутри меня, я считаю, что самый достойный предмет моих ста-
раний — отточить рассказ о том, как, в геометрической прогрессии бурного течения своей
страсти, Сын и Юная Невеста натолкнулись на
неожиданную переменную величину эмиграции
в Аргентину, порожденной пылким воображением беспокойного — если не безумного — Отца.
Сын, со своей стороны, не слишком расстроил-
ся, ибо унаследовал от семейства весьма смутное
понятие о времени, в свете которого три года ничем существенным не отличались от трех дней:

речь шла об обусловленном сроке в рамках их обусловленной сроками вечности. Зато Юная Невеста пришла в ужас. Она от своего семейства унаследовала четкий и явственный страх и тотчас же поняла, что, если бабушкины предписания до сих пор ее уберегали и спасали, это будет гораздо труднее в далекой, чужой и загадочной стране. Ее положение нареченной невесты на первый взгляд ей служило порукой, но также и выносило на поверхность то, что она долгие годы таила, зарывала в землю, а именно — очевидную истину своей женской природы. В смятении приняла девушка решение отца взять ее с собой, ведь очевидно, что от нее там не будет никакой пользы, и даже заподозрила, не кроется ли за этим внезапным решением какое-либо двусмысленное намерение. В Аргентину она отправилась с легким чемоданом и тяжелым сердцем.

Как мы уже видели, что бы ни случилось там — а несомненно, что-то да случилось, как мы еще увидим, — Юная Невеста вернулась в назначенный срок, в достаточной мере вымытая как должно, причесанная, с чистой кожей и изящной походкой. Она вернулась издалека за тем, что ей причиталось, и ничто, насколько ей было известно, не помешало бы ей явиться в назначенный срок, с незатронутым сердцем, дабы взыскать обетованное наслаждение.

Все говорили, что это случится до отъезда на курорт.

— Модесто?

— Да?

— Эта история с книгами.

— Да?

— Можно с вами немножко об этом поговорить?

— Если желаете. Но не здесь.

Они находились в кухне, а у Модесто было чуть-чуть слишком строгое представление о том, для чего предназначено всякое пространство в этом доме. На кухне готовили еду.

— Если хотите, пройдемте со мной, я как раз собирался нарвать в огороде пряных трав, — сказал он.

Огород, например, был правильным местом для разговора.

День выдался яркий, ни следа липкого тумана, который в эту пору года заползал в глаза и портил настроение. Они остановились у грядки, под кустом сирени, дающим умеренную тень.

— Я тут подумала, нельзя ли получить разрешение, — начала Юная Невеста.

— А именно?

— Я бы хотела, чтобы мне позволили читать. Держать у себя книги. Не быть вынужденной читать их в туалете.

— Вы читаете в туалете?

— А вы можете предложить какие-то другие места?

Модесто немного помолчал.

— Для вас это настолько важно?

— Да, важно. Я выросла в семье крестьян.

— Благороднейшее сословие.

— Может быть, но не в этом дело.

— Нет?

— Я чуть-чуть поучилась у сестер в монастыре, а потом — все. И знаете, почему я не полная невежда?

— Потому, что вы читали книги.

— Вот именно. Я пристрастилась к ним в Аргентине. Там больше нечего было делать. Мне привозил их врач, раз-другой в месяц, когда проезжал через наши края; может, таким образом он ухаживал за мной. Я мало что понимала, книги-то были на испанском, но все равно жадно глотала их. Авторов он сам выбирал, мне все подходило. Это самое прекрасное занятие, какое я там для себя нашла.

— Могу понять.

— Теперь мне этого не хватает.

— И все-таки вы читаете что-то в туалете.

— Единственную книгу, которую захватила с собой. Скоро выучу ее наизусть.

— Дозволено ли будет осведомиться, о какой книге идет речь?

— О «Дон Кихоте».

— Ах эта.

— Вы ее читали?

— Немного растянутая, вам не кажется?

— Скажем, несвязная.

— Я бы не стал так строго судить.

— Но язык прекрасный, поверьте.

— Верю.

— Песня.

— Могу вообразить.

— Неужели абсолютно невозможно найти в этом доме какие-то другие книги? И получить позволение их читать?

— Сейчас?

— Да, сейчас, почему бы и нет?

— Вы скоро выйдете замуж. Заживете своим домом и сможете делать все, что захотите.

— Вы, должно быть, заметили, что дело движется как-то неспешно.

— Да, у меня сложилось такое впечатление.

Модесто задумался. Естественно, он лично мог обо всем позаботиться: он знал, где достать книги, ему бы не было трудно, или неприятно, передать ту или иную Юной Невесте, но, ясное дело, это явилось бы нарушением правил, к чему он не вполне еще был готов. После долгих колебаний он прочистил горло. Юная Невеста не могла догадаться, что этим горловым префиксом он предварял сообщения, которые считал особо конфиденциальными.

— Поговорите с Матерью, — изрек он.

— С Матерью?

— Отец очень строг в этом вопросе. Но Мать тайком читает. Стихи.

Юная Невеста подумала о неразрешимых силлогизмах и начала догадываться, откуда они берутся.

— И когда она это делает?

— Днем, у себя в комнате.

— Я думала, она принимает визиты.

— Не всегда.

— Мать читает. Невероятно.

— Разумеется, синьорина, я вам этого не говорил и вы этого не знаете.

— Конечно.

— Но я бы на вашем месте сходил к Матери. Наберитесь смелости попросить о свидании.

— Вам кажется, что никак нельзя попросту постучать в дверь, безо всяких церемоний?

Модесто весь напрягся:

— Что вы сказали?

— Я говорю: мне кажется, вполне уместно пойти и постучать к ней в дверь.

Модесто рвал зелень, согнувшись над грядкой. Он выпрямился:

— Синьорина, вы ведь хорошо представляете себе, о ком мы говорим?

— Конечно. О Матери.

Таким точно тоном она могла ответить: «В подвале», спроси ее кто-нибудь, где лежат ломаные стулья, которые нужно выбросить, и Модесто понял, что Юная Невеста не знала или, по крайней мере, знала не все, и жестоко огорчился, осознав, что манкировал стремлением, с которым просыпался каждое утро, — всегда и во всем достигать совершенства: ввел эту девушку в круг лиц, облеченных доверием, не измерив всей глубины ее невежества. Это смутило его, им надолго завладели сомнения, которые не входили ни в его обязанности, ни в привычки. Юной Невесте даже показалось на мгновение, что Модесто колеблется — какое-то еле заметное дрожание в пространстве; с другой стороны, *колебание* — именно то, что настигает нас, когда мы обнаруживаем нежданно-негаданно бездну, которая разверзается — при полном нашем неведении — между нашими намерениями и непреложностью фактов; этот опыт мне то и дело доводится переживать в последнее время как естественное следствие моего и чужого выбора. Как я пытаюсь объяснить порой тем, у кого хватает духу слушать меня, ощущение, которое я испытываю, не то чтобы слишком оригинальное, состоит в том, что я не существую нигде, до такой степени, что если бы Господь Бог из какого-нибудь каприза в этот самый момент решил бросить взгляд на Свое творение, даже Он не смог бы обнаружить моего присутствия, настолько несуществующим я стал на данный момент времени. Естественно, имеются лекарства для обстоятельств подобного рода, да и каждый вырабатывает свою систему, чтобы продержаться в периоды таких перемежающихся смертей; я, к примеру, склонен приводить в порядок предметы, урывками — мысли, очень редко — людей. Модесто обитал в пустоте всего лишь несколько секунд — для него невероятно долгих, —

и одно из преимуществ моей профессии состоит в том, чтобы знать во всех подробностях, что запечатлелось в его мыслях, а именно — ошеломляющее количество вещей, которых Юная Невеста, очевидно, не знала. И прежде всего Юная Невеста, очевидно, не знала ничего о Матери. Не знала легенды Матери.

Что Мать была красавицей, я уже говорил, но теперь следует уточнить, что в этой красоте, как она воспринималась в рамках данного четко очерченного мира, было нечто сродни мифу. Корни мифа уходили в годы отрочества, прожитого в городе; соответственно, до деревни дошли только далекие отголоски, легендарные повествования, подробности неведомого происхождения. Тем не менее было известно, что Мать очень рано обрела красоту и какое-то время пользовалась ею самым откровенным образом. Когда Отец женился на ней, ей уже стукнуло двадцать пять и многое произошло, но она ни в чем не раскаивалась. Незачем скрывать, что брак этот на первый взгляд не имел особого смысла, поскольку Отец в плане внешности мало что собой представлял и в отношении секса был связан бесчисленными предосторожностями, но все прояснится однажды днем, а вероятнее, ночью, когда я на ощупь определю, что в руках у меня детали головоломки, подходящие для рассказа о том, как в точности все происходило; но только не сегодня, не в этот солнечный день, когда я чувствую в себе достаточно нежности, чтобы поведать о вещах, известных Модесто, а Юной Невесте — нет, например о том, сколь извилист был след безумия, каковой Мать оставляла за собой, просто скользя по жизни города, испытывая на чужих слабостях силу своих чар. Двое покончили с собой, как известно: один проглотил даже чрезмерную дозу отравы, другой исчез в водоворотах реки. Но также и священник, довольно прославленный, прекрасный проповедник, укрылся за стенами монастыря, а именитый кардиолог нашел приют в палате сумасшедшего дома. Не было числа семьям, в которых жены худо-бедно сосуществовали с мужьями, убежденными, будто они родились для того, чтобы любить другую, то есть Мать. С другой стороны, есть сведения по меньшей мере о трех молодых дамах, из самых лучших семей, более чем удачно выданных замуж, которые были настолько близки с ней в незрелые годы, что выработали в себе непроходящее отвращение к мужскому телу и его сексуальным потребностям. Сведения о том, что именно даровала она каждой из своих жертв, доведенных до крайности, весьма расплывчаты, но двум неопровержимым фактам можно доверять. Первый, который, по всей видимости, не стоит принимать во внимание: когда Отец взял ее в жены, она не была девицей. Второй, который следует понимать буквально: Матери до замужества вовсе не требовалось что-то даровать, дабы довести кого угодно до безумия: вполне хватало просто ее присутствия в каком-то месте. Это может показаться маловероятным, и я вынужден все показать на конкретном примере, избрав деталь, наверное, наиболее значимую и, конечно, общеизвестную. Все было блистательно в ней, но если говорить о *декольте*, или, точнее, о том, что исполняет этим самым *декольте* обещанное — мы говорим о груди, — тут мы вынуждены вознестись на такие высоты, когда с трудом подбирается определение, разве только мы захотим прибегнуть к такому термину, как *волшебство*. Баретти в своем «Указателе», к которому необходимо обратиться, если мы хотим придать событиям объективные очертания, употребляет даже такое смелое выражение, как *ведовские чары*, но это место в его заслуживающем всяческих похвал труде всегда представлялось весьма спорным: хотя бы потому, что сочетание *ведовские чары* предполагает дурное намерение, а это, как всем известно, ни в коей мере не передает кристально чистого ощущения счастья, которое, кинув самый беглый взгляд на грудь Матери, испытывал тот, кто имел дерзновение взглянуть или преимущественное право иметь таковое дерзновение. В конце концов, сам Баретти с этим согласился. В более поздних декламациях его «Указателя», когда он стал уже стариком, весьма и весьма достойным, ссылки на *ведовские чары*

мало-помалу сходят на нет, утверждают свиде-
тели. Я употребил термин *декламация* потому,
что, как, возможно, известно всем, «Указатель»
Баретти — это не книга и не документальная за-
пись, а нечто вроде устной литургии, которую
он сам служил, впрочем, редко и всегда без пред-
уведомления. В среднем она имела место раз
в два года, обычно приходилась на лето, и неизменным было только одно: начиналась она ровно в полночь. Но какого числа — никто не знал.
Нередко случалось так, что из-за невозможности
предвидеть событие Баретти давал представление перед немногочисленными свидетелями, если не перед парой свидетелей, а в один год —
после выяснилось, что год был засушливый, —
свидетелей не оказалось вовсе. Это, казалось, не
имело для него значения, посему мы должны
понимать так, что неукоснительное представление «Указателя» являлось его личной необходи-
мостью, неразрывно связанной с самыми глубо-
кими тайниками души, и только случайно могло
оно касаться посторонних. К тому же этот человек отличался скромным изяществом, что логи-
чески выводилось из его ремесла: он был портным, в провинции.

Все началось, когда — то ли чтобы выказать
благоволение, то ли повинуясь неотложной необходимости — Мать однажды явилась к нему,
чтобы подправить вечернее платье, к изготовле-
нию которого в городе, очевидно, отнеслись без

должного усердия. Она не была уверена в том, что вырез получился удачно.

Баретти в то время было тридцать восемь лет. Он был женат. Имел двоих детей. Не прочь был завести и третьего. Но в тот день он стал стариком, и одновременно ребенком, и окончательно и бесповоротно — артистом.

Как он потом рассказывал бессчетное количество раз, Мать заметила ему с самого начала, что, если он продолжит упорно смотреть в сторону, нелегко будет объяснить, чего именно она хочет.

— Простите, но я не думаю, что обладаю достаточной нескромностью, чтобы быть вам полезным, — увиливал он, старательно отводя взгляд от выреза.

— Не говорите глупостей: ведь вы — портной, не так ли?

— Я в основном занимаюсь мужской модой.

— Плохо. Ваши дела от этого страдают.

— В самом деле.

— Займитесь женщинами, это вам даст несомненные преимущества.

— Вы так думаете?

— Без сомнения.

— Я верю вам.

— Так посмотрите на меня, боже правый.

Баретти посмотрел.

— Видите здесь?

Здесь означало место, где ткань прилегала к выпуклостям груди, кое-что предоставляя взгляду и очень многое подсказывая воображению. Баретти был портным, то есть не имел необходимости в наготе, умея прочитывать тела под тканью, будь то костлявые плечи старого стряпчего или гладкие, будто шелк, мускулы молодого священника. Итак, повернувшись, чтобы изучить проблему, он в единый миг осознал, как изгибается грудь Матери, как соски чуть-чуть выступают вперед и устремляются вверх; что кожа там белоснежная, усыпанная веснушками, которые едва виднелись в открытой зоне, но определенно спускались туда, где большинству людей было невозможно их увидеть. Он ощутил в ладонях то, что могли ощутить любовники этой женщины, и догадался, что они познали совершенство и, конечно же, отчаяние. Он представил себе, как мужчины сжимают эту грудь в слепом порыве страсти или ласкают ее, когда уже все растрачено, но не нашел во всем царстве природы плода, который мог бы хоть отдаленно напомнить то сочетание полноты и тепла, что должно было даться счастливцам в руки. Он никогда не думал, что осмелится произнести нечто подобное:

— Зачем такой глубокий вырез?

— Простите?

— Зачем вы делаете такой глубокий вырез? Это грех. Непростительный грех.

— Вы в самом деле хотите знать?

— Да, — сказал Баретти против своей воли.

— Мне осточертели инциденты.

— Инциденты какого типа?

— Просто инциденты. Если хотите, могу привести примеры.

— Будьте любезны. Тем временем, если вы не возражаете, я попробую что-то сделать с этими *pinces*[1], которые здесь, мне кажется, не на месте.

Так и родился «Указатель» Баретти, сначала построенный на примерах, которые Мать рассыпала перед ним щедрой рукой, а потом дополненный многочисленнейшими свидетельствами, собранными в течение долгих лет и сведенными воедино в литургическом повествовании: одни его именовали «Сагой», другие — «Каталогом», а сам Баретти, с малой толикой мегаломании, — «Эпической поэмой». Его содержанием являлось прелюбопытнейшее воздействие, какое на протяжении лет грудь Матери — путем прикосновения, беглого взгляда, легкого касания, угадывания, поцелуя — оказывало на тех, кто предпринимал, беспечно, одно из пяти вышеупомянутых действий: именно это Мать, со своей редкой способностью к синтезу, определяла как *инциденты*. Умение Баретти заключалось в том, чтобы запомнить все как есть, без малейшей неточности; гений — в том, чтобы свести многообразную и нескончаемую казуистику, возникшую в этой связи, к формульной схеме,

---

[1] Складка, защип *(фр.)*.

несомненно действенной и имеющей определенные поэтические достоинства. Первый раздел был зафиксирован следующим образом:

Не следует забывать, что...

Между *не следует* и *забывать* часто появлялись, из соображений мелодичности, вводные слова.

Не следует, с другой стороны, забывать, что...

Не следует тем не менее забывать, что...

Не следует, разумеется, забывать, что...

Затем следовало скупое указание на время или место:

накануне Пасхи

при входе в Офицерское Собрание

что подводило к обозначению протагониста, в большинстве случаев скрытого под выражением общего характера, едва намекающим на род занятий:

младший офицер, обладавший острым умом

чужеземец, прибывший поездом 18:42

но иногда названного по имени:

стряпчий Газлини.

После чего провозглашался и сам факт, правдивость которого Баретти, по его уверениям, всегда проверял самым тщательным образом:

четвертый вальс на балу танцевал с Матерью, дважды обняв ее так, что грудь ее прижалась к синему фраку —

имел отношения с Матерью на протяжении трех дней и трех ночей, по всей видимости, без перерыва.

В этом месте Баретти делал паузу различной длительности, иногда едва уловимую, согласно театральной технике, в которой со временем понаторел. Всякий, кто присутствовал на декламации «Указателя», знает, что во время этой паузы воцарялась совершенно особенная тишина: все ждали, затаив дыхание. То был какой-то природный, животный ритм, и Баретти с ним управлялся великолепно. Во время всеобщего апноэ он провозглашал раскатисто вторую часть повествования, ту, решающую, в которой перечислялись прелюбопытнейшие последствия указанного факта — те самые, которые Мать называла *инцидентами*. Этот раздел был организован не так строго: для каждого случая подбирался свой метрический строй, и само изложение разворачивалось с некоторой свободой, оставляя место для новшеств, фантазии и часто импровизации. Что-то от истины там всегда было, по словам Баретти, но все единодушно утверждают, будто очертания событий грешат некоторой склонностью к волшебству. С другой стороны, именно этого все и ждали — какого-никакого финала и очищающего, освобождающего воздаяния.

В общем и целом формульная схема, разработанная Баретти, состояла из двух разделов, первый из которых (вдох) состоял из четырех подразделов; второй же разворачивался с большей свободой, но все же согласуясь с некоторой совокупной гармонией (выдох). Надо иметь в виду, что эта схема повторялась десятки раз — а с годами, с последовательным накоплением примеров, число повторений дошло до сотен. Отсюда можно вывести гипнотический или по меньшей мере убаюкивающий эффект подобной декламации. Я лично могу подтвердить, что присутствовать при ней было чем-то особенным, изредка скучным, всегда усладительным. Я хочу сказать, что в театре слышал вещи куда более бесполезные. Да еще и платил за билет. Не следует, однако, забывать, что в апреле 1907 года брат известного экспортера вин, во время внезапного ливня переходя через площадь, укрыл под своим зонтиком Мать, которая самым естественным образом взяла его под руку и прижалась, явно преднамеренно, левой грудью. (Пауза.) Нам ведомо, что брат известного экспортера вин это воспринял как обещание; после, когда таковое не исполнилось, он переехал на Юг, где сожительствует с актером, играющим на диалекте. Не следует забывать, что во время бала восемнадцатилетних в 1898 году Мать сбросила мантилью и танцевала соло посреди зала, словно бы вновь вообразив себя маленькой девочкой и не обратив внимания на то, что бретелька платья сползла. (Пауза.) Может, дело в возрасте, но с депутатом Астенго взаправду приключился обширный инфаркт, и перед смертью в ум его закралось сомнение: а не ошибся ли он в выборе жизненных приоритетов. Не следует, кроме того, забывать, что Марко Пани, признанный живописец, добился от Матери согласия позировать обнаженной, но, ввиду запоздалого приступа стыдливости, только до пояса. (Пауза.) Портрет впоследствии приобрел один швейцарский банкир, который все последние одиннадцать лет своей жизни каждый день писал Матери и просил об одной-единственной ночи, но так и не получил ответа. Не следует, разумеется, забывать, что на пляже в Марина-ди-Масса, где в 1904 году Мать по недоразумению провела каникулы, остановившись в отеле «Эрмитаж», одному молодому официанту довелось прийти ей на помощь и поддержать ее во время обморока, определенно происшедшего от жары, по случаю которой на Матери был один только халат на голое тело. (Пауза.) Официант открыл для себя новые горизонты, бросил семью и держит теперь танцевальный зал, у входа в который до сих пор вывешен, без какой бы то ни было видимой логики, гостиничный халат. Так же точно не следует забывать, что третий сын семейства Альберти, нервнобольной, во время вечеринки в частном доме попросил Мать, тогда совсем молоденькую, раздеться перед ним в обмен на все его наследство. (Пауза.) Мать, как известно, сняла блузку и лифчик, позволила потрогать себя, но отказалась от наследства, удовлетворившись тем, что, пока она одевалась, третий сын семейства Альберти свалился на пол, лишившись чувств.

«Случается ли вам совершать повторяющиеся движения?» — спросил у меня Доктор (кончилось тем, что я пошел к врачу, друзья настаивали, и я это сделал, в основном чтобы им угодить). Не в жизни, ответил я. Случается, когда пишу, пояснил. Мне нравится составлять списки вещей, указатели, каталоги, добавил. Он это нашел интересным. Уверяет, что, если бы я дал ему почитать то, что сейчас пишу, это могло бы принести большую пользу.

Разумеется, у меня такого и в мыслях нет.

Он иногда умолкает, я тоже, так и сидим друг против друга. Подолгу. Полагаю, он приписывает такому молчанию некую терапевтическую силу. Воображает, будто в тишине я прохожу какой-то внутренний путь. На самом деле я думаю о своей книге. Замечаю, что мне нравится, больше, чем прежде, когда она свободно скользит в стороне от главной дороги, катится вниз по неизведанным склонам. Разумеется, я никогда не выпускаю ее из виду, но если мне случалось при работе над другими историями запрещать себе любое отклонение, в намерении сконструировать совершенный часовой механизм, который тем больше радовал меня, чем больше удавалось привести его к абсолютной чистоте, теперь я с охотою позволяю моим писаниям дрейфовать по течению, создавая впечатление разброда, который Доктор в своем премудром невежестве, разумеется, не преминет связать с бесконтрольным оползанием моей личной жизни, и вывод, сделанный им в его беспредельном идиотизме, мне будет крайне тяжело услышать. Никак не объяснить ему, что речь идет об изящнейшем техническом, ну, может, эстетическом приеме, совершенно ясном для любого, кто предается со знанием дела моему ремеслу. Речь идет о том, чтобы овладеть движением, сходным с морскими приливами и отливами: хорошо зная, как они чередуются, можно с легким сердцем посадить лодку на мель и бродить босиком по пляжу, собирая моллюсков и маленьких зверьков, иначе неразличимых. После достаточно не дать приливу застигнуть себя врасплох, вернуться на борт и попросту позволить морю нежно приподнять киль и снова отправить суденышко в плавание. С той же нежностью я, задержавшись, чтобы подобрать строфы Баретти и прочих моллюсков такого рода, чувствую, как возвращаются, например, старик и девушка, и вижу, как старик стоит выпрямившись перед грядкой с душистыми травами, а перед ним Юная Невеста пытается понять, что такого особенного в том, чтобы просто постучать в дверь Матери. Отчетливо слышу, как бурлит вода под килем моей книги, вижу, как все вновь пускается в плавание, вместе с голосом старика, который произносит:

— Не думаю, синьорина, что вы располагаете всей информацией, необходимой, чтобы судить о том, какой способ приблизиться к Матери наиболее уместен.

— Вы так полагаете?

— Полагаю.

— Тогда я последую вашему совету. Попрошу ее о встрече, во время завтрака. Так будет хорошо?

— Отлично, — сказал Модесто. — И поверьте мне, — добавил, — не забывайте об осторожности, когда будете с ней говорить.

— Я буду себя вести в высшей степени почтительно, обещаю.

— Почтение — это само собой разумеется, я же говорю об осторожности.

— В смысле?

— Это женщина, замечательная во всех отношениях.

— Знаю.

Модесто потупил взгляд и то, что сказал, сказал вполголоса, с неожиданной грустью.

— Нет, не знаете.

И снова склонился над грядкой с душистыми травами.

— Вы не находите, что побеги мелиссы тянутся вверх исключительно изящно? — с внезапной радостью осведомился он, и это означало, что разговор окончен.

Итак, на следующий день Юная Невеста во время завтрака подошла к Матери и спросила, с подобающим тактом, не откажется ли та принять ее вечером в своем салоне, чтобы переговорить с глазу на глаз.

— Ну конечно, милая, — сказала Мать. — Приходи когда захочешь. Ровно в семь, например.

Потом добавила что-то насчет английского мармелада.

Своим чередом прибыли с Острова, поступая ежедневно, письменный стол орехового дерева, тринадцать томов энциклопедии на немецком языке, двадцать семь метров египетского хлопчатобумажного полотна, книга рецептов без иллюстраций, две пишущие машинки (одна маленькая, другая большая), том японских гравюр, еще два зубчатых колеса, во всем подобные тем, что были получены несколько дней назад, восемь центнеров комбикорма, гербовый щит какой-то славянской семьи, три ящика шотландского виски, какое-то таинственное приспособление, позднее распознанное как клюшка для гольфа; кредитные карты лондонского банка, охотничий пес и итальянский ковер. То было своего рода биение времени, и семейство настолько привыкло к нему, что, если из-за прискорбных перебоев в работе отправителей случалось так, что целый день проходил без прибытия посылки, всеми овладевала некая едва ощутимая растерянность, будто в полдень вдруг не прозвонил колокол. Постепенно у них вошло в привычку называть дни по предмету, обычно абсурдному, который в этот день прибыл. Излишне говорить, что первым пользу подобного метода распознал Дядя, когда во время особенно веселого завтрака кто-то спросил, с каких же пор не выпадало ни капли дождя в этой проклятой глуши, и он, отметив во сне, что никто не в силах ответить на вопрос сколько-нибудь вразумительно, повернулся на диване и со свойственным ему апломбом заявил, что последний дождь, не оправдавший, впрочем, ожиданий, прошел в день Двух Баранов. Потом снова заснул.

Таким образом, сейчас мы можем сказать, что был день Индийского Ковра, когда, не предварив, как обычно, телеграммой свой приезд и тем самым посеяв некоторое замешательство среди веселого общества, собравшегося за столом для завтраков, появился Командини, словно бы из ниоткуда, с таким видом, будто ему необходимо сообщить что-то срочное.

— Что случилось, Командини, вы сорвали банк? — благодушно осведомился Отец.

— Если бы.

И они отправились в кабинет и заперлись там.

Где я их видел бессчетное количество раз, ночами, о которых уже походя упомянул, расставлял, как фигуры на шахматной доске, и разыгрывал с ними все возможные партии, именно чтобы развеять мои бессонные мысли, иначе они подвигли бы меня на то, чтобы расставить на такой же шахматной доске фигуры, принадлежащие к моей настоящей жизни, — а этого я предпочитаю избегать. О них, сидящих каждый в своем кресле, в красном — Отец, в черном — Командини, я в конечном итоге выведал каждую подробность, по причине бессонных ночей — но лучше было бы сказать: бессонных *рассветов*, хотя и это не дает истинного представления о той неизбежной, фатальной нерешимости, какая овладевает каждым, кто не может уснуть, — промедление пагубное и садистическое. Так что об этой встрече мне известно все, каждое произнесенное слово, каждый произведенный жест, но, с другой стороны, у меня и в мыслях никогда не было описывать их все, ибо, как всякому известно, мое ремесло как раз и состоит в том, чтобы видеть каждую подробность, но выбирать немногие, подобно тому, кто чертит карту: это ведь не то что фотографировать мир, действие, вероятно, полезное, но никак не связанное с жестом повествования. Повествование, напротив, есть искусство выбирать. Таким образом, я охотно отбрасываю все, что известно мне, чтобы сохранить движение, какое Командини проделал, поудобнее устраиваясь в кресле: перенес вес тела с одной ягодицы на другую и, чуть-чуть наклонившись вперед, высказал то, что боялся высказать и что и впрямь высказал не в своей обычной манере, бурной и блистательно красноречивой, а на коротком дыхании и в немногих словах.

Он сказал, что Сын исчез.

— В каком смысле? — спросил Отец. Спросил, не успев стереть улыбку, которую светская болтовня, служившая для разогрева, оставила у него на губах.

— Мы не в состоянии установить, где он сейчас находится, — пояснил Командини.

— Это невозможно, — отрезал Отец, прогоняя улыбку.

Командини не шелохнулся.

— Не этого я ждал от вас, — сказал тогда Отец.

И Командини в точности уловил значение этих слов, поскольку хорошо помнил, как три года назад, устроившись в этом самом кресле, будто пешка на клетке F2, выслушивал от Отца тщательно продуманные распоряжения, суть которых сводилась к следующему: постараемся, с должной осмотрительностью, наблюдать за Сыном во время этого его пребывания в Англии, а по возможности предоставим ему, скрытно и незаметно, подходящий случай самому сделать вывод о бесполезности брака, в высшей степени лишенного перспектив, по сути дела, и достаточных оснований, да и, в конечном итоге, простого здравого смысла. Отец добавил, что союз с английским семейством, особенно связанным с текстильной промышленностью, был бы весьма желателен. Обсуждать это решение Командини не стал, но попытался выяснить, до каких пределов он может дойти, чтобы повернуть судьбу Сына. Он бы мог в разных градациях применения силы замыслить действия, которые непременно повернули бы течение жизни, даже двух жизней. Отец тогда покачал головой, словно отгоняя от себя искушение. «О нет, ничего такого, только твердой рукой направляйте развитие событий, — уточнил он. — Я бы счел достаточно элегантным жестом предоставить Юной Невесте хотя бы минимальный шанс», — пояснил он. То были последние слова, сказанные им по этому поводу. Затем, по прошествии трех лет, он почти утратил интерес к делу.

— Но ведь весь этот скарб продолжает поступать, — заметил он, думая о баранах и прочем.

— У него целый ряд агентов, — пояснил Командини, — рассеянных по всей Англии. Я пытался расследовать дело, но и они знают очень мало. Им отдано распоряжение о посылках, вот и все. Никто из них никогда не видел Сына, они не знают, кто он такой. Он заплатил заранее и оставил очень точные, маниакально точные, указания.

— Да, это на него похоже.

— Но не похоже на него исчезнуть таким образом.

Отец погрузился в молчание. Этот человек, хотя бы даже по медицинским показаниям, не мог позволить себе впадать в тревогу: кроме того, он твердо верил, что все на свете имеет объективную тенденцию улаживаться само собой. Тем не менее в этот момент он ощутил некое скольжение души, какое редко испытывал, словно где-то в густом лесу его спокойствия внезапно прорубилась просека. Тогда он поднялся с кресла и постоял немного, дожидаясь, пока все внутри его уладится автоматически, как это всегда происходило, когда что-то вызывало в нем досаду, особенно острую в послеобеденные часы. Но испытал он всего лишь настоятельную, хотя и преодолимую потребность пустить ветры. Стоял, пока не исчезло назойливое ощущение, которое можно было бы свести к абсурдной идее, будто Сын исчез не где-то в Англии, но внутри его; там, где прежде чувствовалось устойчивое присутствие, ныне обнаружилась пустота молчания. Это не показалось ему совершенно лишенным логики, ведь несмотря на то, что веление времени предписывало отцам роль неопределенную, отдаленную и умеренную, его роль не была такова по отношению к этому Сыну, рождения которого он желал вопреки всякой логике и который по причинам, во всех оттенках Отцу известным, *был единственным источником его амбиций.* Поэтому и показалось ему не лишенным смысла следующее наблюдение: с исчезновением юноши понемногу исчезал он сам, ощущая это как крохотное кровотечение и зная какими-то тайными путями, что, если раной пренебречь, она будет беспрерывно шириться.

— Когда его видели в последний раз? — спросил Отец.

— Восемь дней назад. В Ньюпорте, где он покупал куттер.

— Что это?

— Небольшое парусное судно.

— Думаю, мы еще увидим в ближайшие дни, как его выгружают у ворот.

— Вполне возможно.

— Модесто будет не в восторге.

— И все же существует и другая возможность, — рискнул высказаться Командини.

— А именно?

— Он мог бы выйти на куттере в море.

— Он-то?

— Почему нет? Если предположить явную волю к исчезновению...

— Он ненавидит море.

— Да, но...

— *Явную волю к исчезновению?*

— Желание сделаться недоступным.

— Но почему?

— Не знаю.

— Еще раз?

— Не знаю.

Отец почувствовал, как где-то внутри его образуется трещина — еще одна. Предательским ударом в спину явилась возможность того, что Командини чего-то *не знает*, ибо этому человеку, по существу скромному, но изумительно прагматичному, он обязан был убеждением, что каждому вопросу соответствует ответ, может быть неточный, но реальный, достаточный для того, чтобы рассеять малейшую возможность опасного смятения. И вот он, ошеломленный, поднял взгляд на Командини. Увидел на его лице незнакомое выражение и тогда услышал, как что-то хрустнуло в его стеклянном сердце, и уловил знакомый сладковатый запах, и понял со всей определенностью, что в этот миг начал умирать.

— Найдите его, — сказал он.

— Я пытаюсь, синьор. К тому же вполне возможно, что в конце концов мы в ближайшие дни увидим его у наших дверей, вероятно женатым на англичанке с молочной кожей и великолепными ногами; знаете, Создатель наделил их ногами невероятной красоты, раз уж насчет грудок можно сказать, что ему не пришло на ум ничего хотя бы сносного.

Командини снова стал таким, каким был всегда. Отец этому порадовался.

— Сделайте одолжение, никогда больше не произносите этого слова, — сказал он.

— Грудки?

— Нет. *Исчезновение*. Такого слова не существует.

— Я часто использую его по поводу моих накоплений.

— Да, понимаю, но применительно к людям оно сбивает меня с толку, люди не исчезают, в крайнем случае — умирают.

— Уверен, относительно вашего Сына это не тот случай.

— Хорошо.

— Думаю, я могу вам это обещать, — проговорил Командини с тенью сомнения.

Отец улыбнулся ему с бесконечной благодарностью. Потом им овладело необъяснимое любопытство.

— Командини, вы поняли наконец, почему всегда проигрываете?

— Есть гипотезы.

— Например?

— Самую сокрушительную предложил турок, который на моих глазах в Марракеше проиграл остров.

— Остров?

— Да, греческий остров; его семья, похоже, владела им на протяжении веков.

— Вы хотите сказать, что, играя в покер, можно поставить на кон *целый остров*?

— В том случае речь шла о блэкджеке. Но вообще-то, да. Можно поставить на кон остров, если обладаешь должной отвагой и чувством поэзии. У того турка все это было. Мы вернулись вместе в гостиницу, почти на рассвете; я тоже порядочно проигрался, но никто бы, глядя на нас, этого не сказал, мы шествовали, как короли, и, ни слова об этом не говоря, ощущали себя прекрасными и вечными. *Неслыханное изящество проигравшего*, — сказал тогда турок.

Отец улыбнулся.

— Значит, вы проигрываете из стремления к изяществу? — спросил он.

— Я же сказал, это только одна из гипотез.

— Есть и другие?

— Много. Хотите услышать самую достоверную?

— С удовольствием.

— Я проигрываю потому, что плохо играю.

На этот раз Отец рассмеялся.

Потом решил, что умрет без спешки, старательно и не напрасно.

Ровно в семь Мать приняла ее, совершая движения, обычные для нее в этот час, а именно — оттачивая свой блеск: она встречала ночь, только доведя *beauté*[1] до совершенства, — эта женщина никогда не позволила бы смерти застигнуть себя в виде, который разочаровал бы тех, кто первым обнаружил бы ее готовой для могильных червей.

И вот Юная Невеста обнаружила ее сидящей перед зеркалом и увидела ее такой, какой не видела никогда, в тончайшей тунике, с распущенными волосами, которые покрывали спину до самых бедер; молоденькая девушка, почти ребенок, причесывала их; рука скользила вниз с од-

---

[1] Красоту *(фр.)*.

ной и той же скоростью, и каждый раз темная гладь посверкивала золотом.

Мать чуть-чуть повернула голову, только чтобы одарить взглядом.

— Ах, вот, — сказала она, — значит, это именно сегодня, а я было засомневалась, не вчера ли это, со мной такое бывает довольно часто, не говоря уже о тех днях, когда я уверена, что это завтра. Присаживайся, милая: ты хотела поговорить со мной? Ах, эта девочка: ее зовут Долорес, хочу особо подчеркнуть, что она глухонемая от рождения, ее для меня откопали сестры Доброго Совета, да благословит их Господь, ты сейчас поймешь, почему я питаю к ним привязанность, которая временами может показаться чрезмерной.

Ее, вероятно, охватило сомнение, до конца ли понятен ход ее мыслей. И она удостоила собеседницу кратким объяснением:

— Вот что: никогда не позволяй причесывать себя кому-либо, кто обладает даром речи, это непреложно. Ты почему не садишься?

Юная Невеста не садилась потому, что не могла себе вообразить ничего подобного, на данный момент в голове у нее не осталось практически никаких мыслей, разве что выйти из комнаты и начать все сначала. Под мышкой у нее была книга: ей показалось, что так она сразу подойдет к сути дела. Но Мать, казалось, вовсе того не заметила. Что было странно, ведь в этом доме человек с книгой в руках, по идее, бросался в глаза, как старушка, которая явилась бы к вечерней молитве, держа вместо четок арбалет. Юная Невеста задумала следующий план: она войдет в комнату с «Дон Кихотом» на виду и за то короткое время, какое предоставит ей предполагаемое изумление Матери, произнесет такую фразу: *Эта книга никому не может повредить, она прекрасна, и мне не хотелось бы жить в этом доме, никому не говоря, что я читаю ее каждый день. Можно, я скажу об этом Вам?*

План был неплохим.

Но теперь Мать явилась перед ней неким видением, и Юной Невесте почудилось, что в этой комнате следовало разрешить проблему более неотложную.

И она села. Положила «Дон Кихота» на пол и села.

Мать развернула стул, чтобы лучше рассмотреть ее. Долорес двинулась следом, приноравливаясь так, чтобы продолжать свои терпеливые движения. Она была не только глухонемой, но и почти невидимой. Мать, судя по всему, общалась с ней так, как могла бы общаться с шалью, которую накинула на плечи.

— Да, — произнесла она, — ты не уродина, что-то с тобой случилось, несколько лет назад на тебя просто невозможно было смотреть, ты, конечно, объяснишь мне, что творилось у тебя в голове или чего ты хотела добиться, гробя себя таким образом, ведь это не что иное, как ничем не оправданное неуважение к миру, и лучше избегать его, поверь, ведь это бесполезная трата... но ведь любое богатство, похоже, тратится, а значит не стоит и... Во всяком случае, я хочу сказать, что ты не уродина, вовсе нет, теперь, воображаю, речь пойдет о том, чтобы стать красивой, так или иначе, ты, полагаю, об этом думала, не хочешь же ты всю жизнь оставаться такой, как есть, больничным супчиком, боже милосердный, ведь тебе восемнадцать лет... тебе восемнадцать лет, правда?.. да, тебе восемнадцать лет, ну, откровенно говоря, в этом возрасте нельзя быть *по-настоящему* красивой, но все же, по крайней мере, необходимо быть *страшно привлекательной*, в этом не может быть никакого сомнения, и теперь я себя спрашиваю, в самом ли деле ты страшно обаятельная, или я сказала привлекательная, да, наверное, я сказала *привлекательная*, более точное слово... теперь я спрашиваю себя... встань-ка на минутку, милая, доставь мне такое удовольствие, вот так, хорошо, спасибо, можешь садиться, ясное дело, ответ — нет, ты не страшно привлекательна, мне неприятно об этом говорить, но ведь в мире много неприятного, ты ведь сама замечала, сколько всего неприятно тебе, если только ты... но ведь Земля не будет иной, если смотреть на нее с Луны, как тебе кажется? Мне кажется — да, я даже убеждена в этом и потому не думаю, что есть повод... *отчаиваться* — слишком сильное слово... *впадать в меланхолию*, вот именно: это не повод впадать в меланхолию, мне бы не хотелось тебя видеть меланхоличной, дело пустяковое, в конечном счете нужно просто решиться, видишь ли, ты должна привыкнуть к этой мысли и перестать сопротивляться, думаю, ты должна *решиться стать красивой*, вот и все, и лучше не затягивать, Сын приезжает, я бы на твоем месте поторопилась, он такой, что может объявиться в любую минуту, не вечно же ему посылать муфлонов и зубчатые колеса... мне сейчас пришло в голову, что ты собиралась о чем-то меня спросить, или я тебя с кем-то путаю, столько людей вокруг, и все чего-то хотят; число людей, которые домогаются от тебя чего-то, странным образом... ты хочешь спросить о чем-то, милая?

— Да.

— И о чем же?

— Как это сделать.

— Сделать что?

— Стать красивой.

— А-а.

Она протянула Долорес гребешок, так же, как могла бы поправить шаль, сползшую с плеча. Девочка взяла гребень и уже им продолжила свою работу. Возможно, расстояние между зубчиками отличалось на какие-то миллиметры, и это на данном этапе причесывания являлось, как подсказывал опыт, необходимым. Или особую роль играл материал, из которого гребешок был сделан. Кость.

— Вообще-то, такое дело занимает годы, — проговорила Мать.

— Но мне, похоже, следует поторопиться, — заметила Юная Невеста.

— Без сомнения.

— Я могу научиться быстро.

— Не знаю. Может быть. Тебя не затруднит убрать волосы наверх? — велела Мать. — Уложи их на затылке.

Юная Невеста сделала, как ее просили.

— Это что за кошмар? — спросила Мать.

— Я убрала волосы наверх.

— Вот именно.

— Разве не это я должна была сделать?

— Уложить волосы на затылке вовсе не значит уложить дурацкие волосы на дурацком затылке.

— Нет?

— Попробуй еще раз.

Юная Невеста попробовала еще раз.

— Милая, ты смотришь на меня? Посмотри. Так вот, единственная цель, ради которой следует убрать волосы наверх и уложить их на затылке, это чтобы у всех, кто в данный момент находится рядом, захватило дух и они бы вспомнили, попросту покоряясь силе жеста, что любое дело, каким бы ни занимались они сейчас, до ужаса неуместно, и осознали в тот самый миг, когда увидели, как ты укладываешь волосы на затылке, что единственное, чего они желают от жизни, это предаться любви.

— Правда?

— Конечно: ничего другого они и не желают.

— Нет, я имею в виду: правда, что волосы убирают наверх, чтобы...

— О боже ж ты мой, ты можешь это делать так, будто завязываешь шнурки на ботинках, многие так делают, но мы-то говорили о другом, разве нет? О том, как стать красивой.

— Да.

— Вот именно.

Тогда Юная Невеста распустила волосы, постояла немного в молчании, потом взяла их в руку, медленно подняла наверх, закрутила и завязала скользящим узлом, в завершение жеста заправив за уши две пряди, выбившиеся из прически с обеих сторон. Потом сложила руки на животе.

— В общем и целом.

— Я что-то забыла?

— У тебя есть спина. Пользуйся ею.

— Когда?

— Всегда. Начни сначала.

Юная Невеста слегка наклонила голову и подняла руки к затылку, чтобы распустить волосы, которые только что собрала.

— Стой. У тебя что, чешется затылок?

— Нет.

— Странно, голову наклоняют, чтобы почесаться.

— А как надо?

— Голову немного откинуть назад, так, спасибо. Вот-вот, молодец. Теперь помотай ею два-три раза, горделиво, руки тем временем распускают узел, так тебе неизбежно придется выгнуть спину, а это для любого мужчины, который находится поблизости, прозвучит как послание или обещание. Теперь замри. Ты чувствуешь спину?

— Да.

— Теперь поднеси руки ко лбу и собери все волосы, очень тщательно, как можно более тщательно, потом откинь голову назад, проведи руками по волосам и оттяни их к затылку, чтобы они легли как следует. Чем сильнее ты их оттягиваешь вниз, тем больше выгибается спина, и ты принимаешь правильную позу.

— Так?

— Еще раз.

— Больно.

— Глупости. Чем дальше назад ты заводишь руки, тем сильнее выдается грудь и изгибается спина. Вот-вот, именно так, смотри вверх, стоп. Ты сама себя видишь?

— Когда смотрю вверх...

— Я хочу сказать, ты чувствуешь себя, чувствуешь свою позу?

— Да. Думаю, да.

— Это не абы какая поза.

— Неудобная.

— В такой позе женщины получают наслаждение, если верить фантазиям мужчин, весьма ограниченным.

— Ах так.

— Дальше — проще. Не ленись, верти побольше шеей, займись волосами, укладывай их как заблагорассудится. Словно бы у тебя распахнулся халат и ты его запахиваешь, очень просто. Халат на голое тело, само собой.

Юная Невеста запахнула халат с горделивой осанкой.

— Не забывай, что несколько прядей всегда должны выбиться из прически: ты поправляешь их в самом конце немного неловким движением, каким-то девичьим, ребячливым, и это их ободряет. Мужчин, не волосы. Так, так, хорошо, это тебе идет, должна признаться.

— Спасибо.

— Теперь все сначала.

— Сначала?

— Речь о том, чтобы ты это делала не так, будто поднимаешь на кухне квашню, а так, будто это тебе нравится больше всего на свете. Ничего не получится, если ты сама не возбудишься первой.

— Я?

— Ты знаешь, о чем мы говорим, правда?

— Думаю, да.

— Возбуждение. Надеюсь, с тобою это случалось.

— Только не тогда, когда я делаю прическу.

— Именно эту ошибку мы пытаемся исправить.

— Верно.

— Готова?

— Не уверена, что вполне.

— Полагаю, тебе поможет повторение пройденного.

— В смысле?

Мать едва заметно пошевелила рукой, и гребень Долорес замер, а она сама отступила на два шага. Если она и раньше была почти невидима, то в этот миг исчезла совсем. Тогда Мать слегка вздохнула, потом просто забрала волосы наверх и очень медленно уложила их на затылке, за время, которое Юной Невесте показалось мгновением, растянутым до невероятности. У нее возникло безумное впечатление, будто Мать раздевалась перед ней, причем, как долго это длилось, оставалось тайной: достаточно, чтобы пробудить желание, но не достигая того предела, который остается в памяти. Будто бы она всегда являлась перед тобой нагая и никогда перед тобой не снимала одежд.

— Разумеется, — добавила Мать, — эффект будет еще сокрушительнее, если, выполняя эти действия, у тебя хватит присутствия духа болтать о всяких пустяках типа копчения колбас, смерти родственников или состояния дорог в сельской местности. Не нужно, чтобы возникало впечатление, будто мы стараемся нарочно, понимаешь?

— Да.

— Ладно, теперь твоя очередь.

— Не думаю, что...

— Глупости, начинай, и все тут.

— Минутку...

— Начинай. Вспомни, что тебе восемнадцать лет. Ты уже победила заранее. Они хотят тебя по меньшей мере три года. Осталось только напомнить им об этом.

— Хорошо.

Юная Невеста вспомнила, что ей восемнадцать лет, что она победила заранее, что они хотят ее по меньшей мере три года и что даже сюжет «Дон Кихота» вылетел у нее из головы. Прошло мгновение, растянутое непостижимым образом, и вот она здесь, волосы собраны на затылке, подбородок слегка приподнят, а во взгляде нечто такое, чего раньше никогда не было.

Мать долго молчала, разглядывая ее.

Она думала о Сыне, о его долгом молчании, о том, как он сказал: *ее губы*.

Чуть-чуть склонила голову набок, чтобы лучше ее рассмотреть.

Юная Невеста стояла неподвижно.

Губы были полуоткрыты.

— Тебе понравилось? — спросила Мать.

— Да.

— Теперь остается понять, *насколько* тебе понравилось.

— Это как-то можно выяснить?

— Да. Если тебе *взаправду* понравилось, ты сейчас очень хочешь заняться любовью.

Юная Невеста углубилась в себя в поисках ответа.

— Ну и как? — спросила Мать.

— Думаю, да: хочу.

— Думаешь?

— Да, я очень хочу заняться любовью.

Мать улыбнулась. Потом еле заметно повела плечами, чуть-чуть приподняла их.

Должно быть, она сделала какой-то незримый жест, в незримый миг, потому что ни следа Долорес больше не было в комнате, какая-то дверь, столь же незримая, поглотила ее.

— Тогда иди сюда, — сказала Мать.

Юная Невеста подошла и встала перед ней. Мать сунула руку ей под юбку, чуть-чуть сдвинула трусики и медленно, одним пальцем, раскрыла губы.

— Да, — подтвердила, — ты этого хочешь.

Потом вынула руку и приложила палец ко рту Юной Невесты, вспоминая то, что сказал ей Сын несколько лет назад. Поводила пальцем по губам Юной Невесты, потом просунула его внутрь и коснулась языка.

— Это твой вкус, изведай его, — сказала.

Юная Невеста слегка лизнула.

— Нет. Распробуй.

Юная Невеста подчинилась, и до Матери начало доходить, что хотел сказать ей Сын в тот раз. Она выдернула палец резко, будто бы обожглась.

— Теперь ты, — сказала она.

Юная Невеста поняла не сразу. Она сунула руку себе под юбку.

— Нет, — остановила ее Мать.

Тогда Юная Невеста поняла, и ей пришлось нагнуться, чтобы сунуть руку под халат Матери, длинный, почти до пола. Мать чуть-чуть раздвинула ноги, пальцы Юной Невесты скользнули по коже бедра и нащупали лоно, безошибочно. Погрузились туда. Юная Невеста слегка пошевелила пальцами, затем вынула руку. Пальцы блестели. Мать жестом велела ей, и она подчинилась, взяла эти пальцы в рот и медленно облизала.

Мать смотрела, как она это делает, потом сказала:

— Дай и мне попробовать.

Она придвинулась и, не закрывая глаз, поцеловала эти губы, потому что хотела этого и потому что не упустила бы ни единого случая постичь тайну собственного Сына, так сильно любимого. Приняла на язык два вкуса, свои собственные, происходящие из ее утробы.

На мгновение отодвинулась.

— Да, — проговорила наконец.

Потом снова раздвинула языком губы Юной Невесты.

Сейчас, на расстоянии стольких лет, сейчас, когда Матери даже и нет больше, я до сих пор не устаю поражаться той ясности рассудка, с какой она все это делала. Я хочу сказать, днем она предавалась фантазиям, витала в облаках, погруженная в себя, заблудившаяся в собственных словах, в своих неразрешимых силлогизмах. Но я живо представляю себе, в сумбурной яркости воспоминания, что с самой первой минуты, когда мы сблизились, просто чтобы *поговорить* о красоте, все в ней переменилось в сторону абсолютного владения собой, как раз со слов началось, а потом перелилось в жесты. Когда я сказала ей об этом в какой-то момент среди ночи, она на мгновение перестала ласкать меня и прошептала: *«Альбатрос» Бодлера, прочитай это, раз уж ты все равно читаешь*, и только много лет спустя, когда я действительно прочитала это, я поняла, что она была величавой птицей, когда поднимала в полет свое тело и тела тех, кто был с ней, и неуклюжим пернатым в любой другой момент — вот в чем заключалось чудо. Помню, я покраснела, когда она произнесла эту фразу; поняла, что нас застукали, меня и моего «Дон Кихота», и вот — покраснела, в почти совсем темной комнате, и это до сих пор мне кажется таким нелепым, краснеть из-за книги, в то вре-

мя как женщина старше меня, которую я едва
знала, облизывала меня, и я позволяла ей это
делать, не краснея, не испытывая ни малейшего
стыда. Она избавила меня от стыда, вот в чем
дело. Все время она говорила со мной, направ-
ляя мои руки, двигая своими, говорила со мною
не спеша, в ритме, который позволял ей то при-
касаться ко мне губами, то произносить слова; в
ритме, который я потом всегда искала со всеми
моими мужчинами, но так и не смогла найти.
Она объяснила мне, что любовь очень часто не
имеет с этим ничего общего; во всяком случае,
ей не кажется, что это слишком часто зависит от
любви. Тут скорее животное чувство, связанное
с сохранностью тела. Она сказала, что, если не
вкладывать сентиментальный смысл в то, что ты
делаешь, любая деталь превращается в тайну,
которую нужно разгадать, и любая грань тела
манит непреодолимо. Помню, она все время не
переставая говорила о мужском теле, о том, как
примитивно желание мужчин, чтобы мне стало
ясно: как бы ни прельщало меня слияние наших
симметричных тел, то, что она хотела мне подарить, было всего лишь вымыслом, фикцией, которая поможет мне в должный момент не упус-
тить ничего из того, что способно предложить
тело мужчины. Она научила меня не сторонить-
ся запахов и вкусов — это ведь соль земли; и
объяснила, что лица меняются, когда занима-
ешься сексом, меняются черты, и грешно не по-

нимать этого, ведь когда мужчина у тебя внутри, а ты двигаешься на нем сверху, ты можешь прочесть на его лице всю его жизнь, от ребенка до старика на смертном одре, и эту книгу в такой момент он захлопнуть никак не может. От нее я научилась, что начинать надо с языка, с лизания, против всяких приличий и правил ухаживания, ибо это жест раболепный и царственный, постыдный и отважный. «И я не хочу сказать, что ты должна сразу брать в рот, вовсе нет, — поучала она, — касайся языком кожи, лижи руки, веки, шею — не думай, будто это унижение, ты должна это делать как царица, царица зверей». Она объяснила, что не нужно бояться говорить, занимаясь любовью, поскольку голос, который бывает у нас, когда мы занимаемся любовью, — это самое потайное, что вообще у нас есть, и слова, на какие мы осмеливаемся, — единственная всецелая нагота, скандальная, окончательная, какой мы располагаем. Сказала, что никогда не надо притворяться, это только утомляет, и добавила, что можно делать все, гораздо больше того, что мы изначально вроде бы желали сделать, и все-таки есть такая вещь, как вульгарность, убивающая наслаждение, и очень рекомендовала держаться от нее подальше. «Иногда, — сказала, — мужчины, занимаясь любовью, закрывают глаза и улыбаются: люби таких мужчин, — сказала. — Иногда раскидывают руки и отдаются: люби и таких. Не люби таких, кото-

рые плачут, когда совокупляются, сторонись тех,
которые в первый раз раздеваются сами: разде-
вать их — удовольствие, которое причитается
тебе». Говоря, она ни на мгновение не останав-
ливалась, та или иная часть ее тела все время
искала меня, потому что, объясняла она, заниматься любовью значит бесконечно пытаться
найти позицию, в которой тела сливаются, такой позиции не существует, но существует момент поиска, и это — искусство. Зубами, пальцами она причиняла мне боль, время от времени
щипала, или кусала, или вкладывала в движения чуть ли не злобную силу и наконец призналась: она сама не знает почему, но и это связано
с наслаждением, а значит можно без опаски ку-
сать, щипать и применять силу; секрет в том,
чтобы это читалось, было прозрачным; чтобы
он понимал — ты знаешь, что делаешь, и делаешь это ради него. Растолковала мне, что только
идиоты занимаются любовью, чтобы кончить.
Ты ведь знаешь, что такое «кончить», правда? —
спросила она. Я ей рассказала о Дочери, сама не
знаю, зачем все ей рассказала. Она улыбнулась.
«Вот у нас и секреты завелись», — сказала.
И тогда поведала мне, что долгие годы изводила
мужчин, отказываясь кончать, когда занималась
с ними любовью. В какой-то момент отдалялась,
пристраивалась на краешке кровати и кончала
сама с собой, лаская себя. «Они сходили с ума, —
сказала. — Некоторых, помню, я просила делать

то же самое, с собой. Когда я чувствовала что-то вроде конечного изнеможения, я отдалялась от них и говорила: поласкай себя. Сделай это. Прекрасно видеть, как они кончают рядом с тобой, и при этом даже до них не дотрагиваться. Один раз, один-единственный раз, — сказала, — я была с мужчиной, который мне так сильно нравился, что в конце, не сговариваясь, мы отдалились друг от друга и друг на друга смотрели, издалека, ну, не слишком, просто немного отдалились, и ласкали сами себя, но друг на друга смотрели, пока не кончили». Потом, однако, она замолчала надолго, сжала мою голову в ладонях и направляла потихоньку туда, где хотела почувствовать мои губы, к шее, потом ниже, повсюду, где ей нравилось. Но это одна из немногих вещей, какие я помню отчетливо и связно, а остальное, что было той ночью, когда я обращаюсь к ней в воспоминании, кажется мне теперь озером без начала и конца, на котором каждый блик до сих пор сверкает, но все берега потеряны, и ветер неизъясним. Знаю только, что не имела рук, пока не погрузилась в это озеро, и никогда не дышала вот так, с кем-то в унисон, и не пропадала всем телом в коже, которая не была моей. Помню, как она одной рукой мне прикрыла глаза и попросила вытянуть ноги, и часто мне виделся, в самые неожиданные моменты, жест, которым она время от времени подносила руку от своего лона к моим губам, что-то такое скрепляя, сама

не знаю что; мои губы она накрывала полной
ладонью, а своего лона касалась тыльной стороной. Этой ночи я обязана всей невинностью,
которую вкладывала затем в столькие жесты
любви, и выходила очищенной, и этой женщине
я обязана твердым убеждением, что неудавший-
ся секс — единственная трата, которая нас делает хуже. Она все совершала не спеша, по-детски
торжественно, была великолепна, когда смеялась от наслаждения, и любое из ее желаний про-
буждало желание в ответ. Моя усталая память
не сохранила слов, какие она мне сказала напо-
следок, и я об этом сожалею. Помню, я уснула,
приникнув к ее волосам.

Много часов спустя они услышали, как открывается дверь и Модесто провозглашает: *Доброе утро, жара, духота, удручающая влажность.*
В подобных обстоятельствах взгляд у дворецко-
го становился пустым, будто у слепого; в нем
читалась непревзойденная способность видеть
все и ничего не помнить.

— Нет, ты погляди, — сказала Мать, — мы
и эту ночь пережили, я так и знала, еще один
день в подарок, не дадим ему пропасть даром.

И в самом деле, она уже слезла с постели и,
даже не взглянув в зеркало, направилась к завт-
раку, громко объявляя, не знаю кому, что, должно быть, уже началась жатва, поскольку вот уже
несколько дней она просыпается с необъяснимой, изматывающей жаждой (многие из ее сил-

логизмов были поистине неразрешимыми). Зато я оставалась в постели, раз уж не боялась ночи, и очень плавно скользила туда и сюда под простынями, впервые с каждым движением ощущая, что телу моему дарованы бедра, ноги, пальцы, запахи, губы и кожа. Мысленно прошлась по списку, который бабушка составила для меня, и отметила, что, если уж быть педантичной, мне еще не хватает живота с его хитростями и уловками, что бы старуха ни хотела этим сказать. Найдется способ научиться также и этому. Я-то как раз бросила в зеркало взгляд. Увидев то, что увидела, осознала, впервые с абсолютной уверенностью, что Сын вернется. Теперь я знаю, что не ошибалась, но знаю также, что у жизни много сложных способов подтвердить твою правоту.

Спускаться в залу для завтраков было странно, ведь ни в какое другое утро я не спускалась *всем телом*, и теперь мне казалось неосмотрительным, или нелепым, влечь его к столу прямиком из ночи, таким, как есть, едва прикрытым рубашкой: только сейчас я осознала в полной мере, как она задирается на бедрах и раскрывается спереди, когда я наклоняюсь, — раньше у меня не было никаких причин замечать такие вещи. Запах от пальцев, вкус во рту. Но так это было, и так было принято, и все мы были безумны и счастливы в своем безумии.

Явилась Дочь, она улыбалась, почти бежала, подволакивая ногу, но даже не замечая этого;

она направлялась прямо ко мне, Дочь: я о ней совсем забыла, моя пустая постель, она одна в комнате, а я даже отдаленно об этом не думала. Она обняла меня. Я хотела что-то сказать, она покачала головой, улыбаясь. Не хочу ничего знать, сказала. Потом поцеловала меня в губы, едва касаясь.

— Вечером пойдем со мной на озеро, — предложила она, — я хочу тебе кое-что показать.

Мы взаправду пошли на озеро, в низких лучах заходящего солнца, срезая путь по фруктовым садам, чтобы поторопиться и прийти вовремя, в час, который Дочь знала назубок, — ведь то было *ее* озеро. Трудно понять, как могла такая глушь породить его, но ведь породила, на радость всем, раз и навсегда: вода в нем была необъяснимо чистая, неподвижная, ледяная и чудесным образом не зависящая от времен года. Зимой озеро не замерзало, летом не высыхало. Было оно каким-то нелогичным, может, поэтому никому так и не удалось придумать ему имя. Чужестранцев старики уверяли, будто никакого озера нет.

Они срезали путь по фруктовым садам, и пришли вовремя, и растянулись на берегу, и Дочь сказала: «Не шевелись, — а потом: — Вот, они появились». И в самом деле, из ниоткуда начали появляться, одна за другой, птички с желтым брюшком, похожие на ласточек, но по-другому летящие и с отблеском иных горизонтов на оперении. «Теперь молчи и слушай», — велела Дочь. Птицы безмятежно парили над озером, в нескольких пядях от воды. Потом внезапно падали вниз, стремительно опускались к озерной глади, на лету склевывая букашку, которая искала приюта или опоры на влажной поверхности озера. Они проделывали это с божественной сноровкой, и, когда это им удавалось, их желтые брюшки скользили какой-то миг по воде: в абсолютном безмолвии полей, одурманенных зноем, слышался серебристый шелест — на какой-то кратчайший миг перья соприкасались с водою. «Это самые прекрасные в мире звуки», — сказала Дочь. Время прошло, и птицы одна за другой пролетели. Потом она повторила: «Это самые прекрасные в мире звуки. Однажды, — добавила, — Дядя сказал мне, что многое в людях можно понять, если помнить, что они ни за что не способны воспроизвести подобный звук — в его легкости, стремительности, грациозности. Итак, — она подытожила, — нельзя от них ожидать, чтобы они были изящными хищниками, но следует принять их такими, как есть: хищниками несовершенными».

Какое-то время Юная Невеста молча слушала самые прекрасные в мире звуки, потом повернулась к Дочери.

— Ты замечаешь, что все время говоришь о Дяде? — сказала она.

— Конечно.

— Он тебе нравится.

— Разумеется. Я выйду за него замуж.

Юная Невеста расхохоталась.

— Не шуми, иначе птицы улетят, — рассердилась Дочь.

Юная Невеста втянула голову в плечи и понизила голос.

— Ты с ума сошла, он — твой дядя, выходить замуж за дядю нельзя, это глупо и к тому же запрещено. Тебе никто этого не позволит.

— Кто же еще возьмет меня, такую калеку.

— Ты шутишь, ты — великолепна, ты...

— И потом, он мне не дядя.

— Что?

— Он мне не дядя.

— Конечно дядя.

— Кто это тебе сказал?

— Все это знают, вы зовете его Дядей, он — твой дядя.

— Нет, он не дядя мне.

— Ты хочешь сказать, что этот человек...

— Ты не можешь немного помолчать? Если на них не смотреть, они перестанут делать это.

И они повернулись к птицам с желтыми перышками, которые прилетели издалека, чтобы шелестеть по воде. Удивительно, сколько деталей сошлось в едином миге, чтобы произвести в итоге такое совершенство: ничего не получилось бы так гладко, если бы на озере началось хоть какое-то волнение; другие букашки, более хитрые, могли бы усложнить полет, и не цари такое безмолвие в этой глуши, любой звук затерялся бы, сколь угодно великолепный. Но пока ни одна деталь не покинула своего места, не возникло по пути ни малейшей задержки, и никто не переставал веровать в свою собственную крохотную необходимость: каждое скольжение желтых перышек по воде представляло собой удавшийся эпизод Творения. Или, если угодно, магическую изнанку Творения несовершенного, то есть деталь, отколовшуюся от, вообще-то, случайного порождения вещей, исключение среди всеобщего беспорядка и бессмыслицы. В любом случае, чудо.

Обе смотрели, как оно проходит. Дочь зачарованно, Юная Невеста — внимательно, хотя и отвлекаясь немного на эту коллизию с Дядей. От обеих ускользнуло изящество заката, что случается редко: как давно подмечено, мало что может отвлечь от заката, если он находится перед глазами. Со мной это случилось всего один раз, насколько я могу припомнить, из-за присутствия рядом одной персоны, но случилось это один-единственный раз — и персона была воистину неповторимой. Обычно такое не случается — но случилось с Дочерью и Юной Невестой, перед глазами которых находился закат, довольно изящный, а они ничего не видели, слушая, как самые прекрасные в мире звуки повторяются много раз, одинаково, потом в последний раз, точно так же. Птицы с желтыми перышками исчезли в дали, тайна которой им одним была ведома, поля простерлись вокруг, как обычно, и озеро стало таким же немым, как вначале. Только тогда Дочь, все еще лежа на песке и вглядываясь в водную гладь, заговорила и поведала, что однажды, много лет назад, зимой, она и Сын заблудились. «Ему было семь лет, мне пять, — сказала она, — мы были совсем маленькие. Мы бродили по полям, мы часто это делали, там был наш тайный мир. Но мы зашли слишком далеко, или, не знаю, погнались за чем-то, не помню уже — какая-то иллюзия или предчувствие. Стемнело, опустился туман. Мы это заметили слишком поздно, уже ничего нельзя было распознать, дорогу скрыла стена, которой там раньше не было. Сын испугался, я тоже. Мы долго шли, стараясь придерживаться одного направления. Мы оба плакали, но молча. Потом сквозь туман нам послышался какой-то шум, Сын перестал плакать, голос его окреп, и он сказал: „Пошли туда". Мы даже не видели, что у нас под ногами: то ли твердая, смерзшаяся земля, то ли канава, то ли грязь, но шли вперед, на звук, который раздавался все ближе и ближе. Наконец мы обнаружили мельничное колесо, лопасти его, все переломанные, крутились в каком-то канале, и колесо проворачивалось с трудом, трещало и скрипело, отсюда и шум. Перед ним стояла машина, припаркованная. Мы за нашу жизнь видели не так-то много автомобилей, но у Отца машина была, так что мы знали, что это такое. За рулем сидел человек, и спал. Я что-то сказала, Сын не знал, что делать, мы подошли, я все твердила, что пора домой, а Сын повторял: „Помолчи", потом сказал: „Нам никогда не найти дороги домой". Тот человек все спал. Мы говорили тихо, чтобы его не разбудить, но то и дело повышали голос, когда ссорились, или от страха. Человек открыл глаза, глянул на нас и сказал: „Залезайте, я отвезу вас домой".

Когда нам дома отворили дверь, Мать заверещала что-то нелепое, но до крайности ликующее. Отец подошел к тому человеку, и он все объяснил. Отец пожал ему руку или обнял его, не помню, и спросил, можем ли мы что-нибудь для него сделать. „Да, — ответил тот, — я очень устал, ничего, если я тут вздремну немного? Потом уеду". И растянулся на диване, даже не ожидая ответа. Тут же заснул. С того дня он так и не уехал, потому что должен выспаться и потому что было бы очень грустно расстаться с ним. Дядей впервые назвал его Сын несколько дней спустя. Так он навсегда и остался Дядей».

Юная Невеста призадумалась.

— Вы даже не знаете, кто он такой, — сказала.

— Нет, не знаем. Но когда мы поженимся, он мне все расскажет.

— Может, лучше бы он сначала все рассказал, а потом, возможно, ты бы за него вышла?

— Я пыталась с ним говорить.

— А он?

— Продолжает спать.

И я продолжал делать более-менее то же самое, когда Доктор, с невыносимо нарочитыми предосторожностями, сообщил очередную банальность: якобы корень проблемы — в моей неспособности понять, кто я такой. Поскольку я хранил молчание, он эту свою банальность повторил, ожидая, наверное, что я как-то отреагирую, например объясню, кто я такой, или, наоборот, признаюсь, что не имею об этом ни малейшего понятия. Но на самом деле я всего лишь продолжал клевать носом. Потом поднялся и устало направился к двери, говоря, что на этом наше общение заканчивается. Помню, что употребил именно это выражение, хотя сейчас оно мне кажется чересчур формальным. Доктор тогда разразился смехом, но смехом принужденным, возможно предписанным в учебниках, вычитанным из книг, и это показалось мне настолько невыносимым, что подвигло на неожиданный жест — неожиданный как для Доктора, так и для меня, — словом, я схватил первое, что попалось под руку — настольные часы средних размеров, но не лишенные углов и довольно тяжелые, — и запустил в Доктора, метя в плечо — не в голову, как ошибочно раструбили газеты, —

он в результате лишился чувств, то ли от боли, то ли от изумления. Неправда, что потом я пинал Доктора ногами, как напечатали в газете, где давно меня ненавидят, — я, по крайней мере, такого не помню. Этим я заработал себе несколько чрезвычайно неприятных дней, в течение которых отказывался делать какие бы то ни было заявления, терпеливо выслушивал всякого рода нестерпимые сплетни и получил, при полном своем безразличии, вызов в суд по обвинению в причинении телесных повреждений. Понятно, что с тех пор я заперся у себя дома, выхожу только по крайней необходимости, и медленно погружаюсь в одиночество, которого страшусь и которое одновременно меня защищает.

Должен признаться, что, если судить по фотографиям, которые мне доставил мой адвокат, я действительно заехал Доктору по голове. Ну и меткость.

Потом они вернулись, когда темнота подступала, Дочь своим кубистическим шагом, Юная Невеста — погруженная в свои мысли, смутные.

Они делали вид, будто не замечают этого, но, по правде говоря, посылки стали приходить реже, оставляя пустые, безымянные дни, согласно ритмам, не подчинявшимся никакой логике, а значит никак не сочетавшимся с замыслом Сына, насколько они могли в него проникнуть.

Прибыла ирландская арфа, и на следующий день — два вышитых полотенца. Зато потом два дня — ничего. Мешки с семенами в среду, и до воскресенья — ничего. Желтая палатка, три теннисные ракетки, но между этим четыре дня — ничего. Когда целая неделя прошла и ни единое почтовое отправление не явилось, чтобы измерить время ожидания, Модесто решился, со всем почтением, попросить Отца о встрече. Дворецкий старательно приготовил вступительную фразу. Она не отклонялась от глубоко укоренившихся склонностей Семейства, исторически чуждых пессимизма.

— Вы, конечно, заметили, синьор, что в последнее время посылки приходят не так часто. Я задаюсь вопросом, не следует ли из этого вывести скорый приезд Сына.

Отец взглянул на него в молчании. Мыслями он был далеко, но отметил каким-то краешком сознания своеобразную красоту преданности, которую чаще можно увидеть у слуг, чем у хозяев. Удостоверил это чуть заметной улыбкой. Но поскольку он по-прежнему молчал, Модесто продолжил:

— С другой стороны, мне случилось заметить, что последняя утренняя телеграмма приходила двадцать два дня тому назад.

Отец это заметил тоже. Вряд ли он смог бы назвать точную дату, но помнил, что уже довольно давно Сын перестал сообщать Семейству утешительную весть об успешно миновавшей ночи.

Отец кивнул. Но молчал по-прежнему.

Согласно строгим правилам, какие он выработал для своего ремесла, Модесто считал, что молчать в обществе патрона — дело чрезмерно личное, а посему этого систематически избегал, применяя пару элементарных приемов: просил позволения удалиться или продолжал говорить. Обычно он предпочитал первое. В тот день все-таки решился на второе.

— Таким образом, если вы мне предоставите соответствующие полномочия, я начну приготовления к его приезду со всевозможной заботой, имея в виду привязанность, какую я питаю к Сыну, и памятуя о радости, какую испытают при встрече все домочадцы.

Отец чуть было не растрогался. Он знал этого человека всю жизнь, так что в данный момент превосходно понимал, о чем *на самом деле* говорил Модесто, противореча смыслу произносимых слов, с безупречным великодушием и тактом. Модесто говорил, что с Сыном не все в порядке и он готов сделать все необходимое, чтобы не было нарушено правило, не позволявшее никому предаваться скорби. Возможно, он напоминал также о своей преданности Сыну, благодаря которой любая задача, даже самая неблагодарная, окажется ему по плечу, если будет направлена на то, чтобы облегчить судьбу юноши.

Итак, Отец по-прежнему молчал — тронутый близостью этого человека. Его умом, его выдержкой. Именно в этот послеполуденный час он познал всю меру своего одиночества и теперь, глядя на Модесто, вдруг понял, что перед ним — единственный персонаж, причем достойный, вступивший в бескрайние степи его смятения. В самом деле, случается в такие минуты, когда приходится претерпевать мучения, тайные или с трудом облекаемые в слова, что именно второстепенные персонажи, запрограммированно скромные, пробиваются время от времени в уединение, на которое мы себя обрекаем, и вот мы ни с того ни с сего, как со мной это было пару дней назад, вопреки всякой логике дозволяем незнакомцам войти в наш лабиринт, в ребяческой надежде получить от них какую-то подсказку, или преимущество, или хотя бы мимолетное облегчение. В моем случае, стыдно сказать, речь шла о служащем супермаркета, который аккуратно, со всем тщанием выкладывал замороженные продукты в огромный ларь — не знаю, как он точно называется, — и руки у него покраснели от холода. И вот мне показалось, будто он делает что-то такое, что и я должен был бы проделать относительно ларчика моей души — не знаю, как она точно называется. Кончилось тем, что я все это ему выложил. Приятно было видеть, что он продолжал трудиться, говоря, что не уверен, будто хорошо меня понял. Тогда я ему объяснил. Жизнь моя разбилась вдребезги, сказал я, и мне никак не удается приладить осколки к месту. Руки у меня мерзнут все больше и больше, с недавних пор я их вообще не чувствую, сказал я. Он подумал, что имеет дело с сумасшедшим, да я и сам впервые подумал, что мог бы сойти с ума, — исход, который Доктор по глупости упорно исключал, до того как я часами ему расквасил физиономию... «Весь секрет в том, чтобы делать это каждый день, — сказал тогда служащий супермаркета. — Ты делаешь что-то каждый день, и это становится легко. Я это делаю каждый день и даже не замечаю холода. А вы делаете что-нибудь каждый день?» — спросил он. «Пишу», — сказал я. «Здорово. Что вы пишете?» — «Книги», — сказал я. «Книги о чем?» — «Романы», — сказал я. «Мне некогда читать», — сказал он — они всегда это говорят. «Да, понимаю, — сказал я, — ничего страшного». — «У меня трое детей», — сказал он, может быть, в оправдание, но я это воспринял как начало диалога, как позволение обменяться чем-нибудь и стал ему объяснять, что, как это ни странно, я могу приладить кусочки книги один к другому, даже не глядя, на ощупь, так сказать, но та же самая операция недоступна для меня, когда я тружусь над осколками своей жизни, из которых мне не удается выстроить ничего, что имело бы осмысленные очертания, или хоть благообразные, пусть без особой красоты, несмотря на то что этот жест я повторяю и повторяю каждый день, и вот, говорю вам, уже много дней, как руки мои заледенели, я их больше не чувствую.

Он на меня воззрился.

— Не знаете, где тут бумажные полотенца? — спросил я.

— Конечно знаю, пойдемте со мной.

Он шел впереди, в своем белом халате, и я мгновенно понял, что передо мной единственный персонаж, притом достойный, вступивший в бескрайние степи моего смятения. Вот я и в состоянии понять, почему Отец, вместо того чтобы сказать что-нибудь о Сыне, выдвинул ящик стола и извлек оттуда разрезанный конверт, обклеенный марками. Повертел его в руках. Потом протянул Модесто. Сказал, что письмо пришло из Аргентины.

Модесто не обладал воображением — дар, бесполезный для его ремесла, даже и вредный, — поэтому не двинулся с места, речь шла о Сыне, Аргентина тут была ни при чем, а если и была, то карту этих связей дворецкий прочесть не мог.

Но Отец был напуган своим одиночеством, поэтому решительным жестом указал на письмо:

— Прочти, Модесто.

Тот взял конверт. Разворачивая письмо, подумал, что за пятьдесят девять лет службы имел доступ к великому множеству секретов, но впервые получал на этот счет прямой приказ. Он спрашивал себя, не изменит ли это его статус, его положение в Доме, но с первыми строками все мысли вылетели у него из головы. Письмо было написано довольно корявым почерком, но связно и внятно, только к концу была заметна нарастающая усталость. Пишущий излагал события, не добиваясь ни изящества, ни точности, но передавая их с простотой, которой, как представляется, обладают факты, если нам не выпадет случай как следует изучить их. Не было в письме ни пышных слов, ни сочувствия, ни понимания. Если бы камни обладали даром речи, они бы изложили дело точно так. Письмо было коротким. Подписано инициалом.

Модесто сложил листок и из врожденной приверженности к порядку сунул его в конверт. Первое, что он отметил с недоумением: в письме ни слова не говорилось о Сыне, то была совсем другая история. Модесто не привык воспринимать вещи таким образом, он всегда предусмотрительно располагал проблемы в линейной последовательности, чтобы можно было обдумать каждую по отдельности: сервировка стола представляла собой самую возвышенную иллюстрацию к такому правилу.

Второе, что он отметил, Модесто высказал вслух:

— Это ужасно.

— Да, — согласился Отец.

Модесто положил письмо на стол, словно оно жгло ему руки.

— Когда оно пришло? — спросил. За всю свою жизнь дворецкий не мог припомнить, чтобы ему доводилось задавать такой прямой вопрос Отцу или Отцу Отца.

— Несколько дней назад, — ответил Отец. — Его написал один информатор Командини, я его просил немного приглядывать за всем этим, держать ситуацию под контролем.

Модесто кивнул. Манеры Командини ему не нравились, но сноровку агента он признавал.

— Юная Невеста знает? — спросил дворецкий.

— Нет, — сказал Отец.

— Надо будет ей сообщить.

Отец поднялся.

— Наверное, — проговорил он.

Какое-то время он колебался, подойти ли к окну, чтобы запечатлеть очередную паузу в разговоре, или походить по комнате медленными шагами, чтобы дать понять Модесто, насколько он устал, но в то же время спокоен. В конце концов решился обойти вокруг стола и встать перед слугою. Пристально посмотрел на него.

Сказал, что много лет тому назад приступил к исполнению одного жеста и с тех пор питает иллюзию, что когда-нибудь его завершит. Высказался, довольно неясно, в том плане, что получил от своей семьи в наследство узел такой запутанный, что никто, похоже, уже не может отличить нить жизни от нити смерти, а он задумал этот узел распутать, в чем и состоит его план. Он мог вспомнить, в какой именно день это пришло ему в голову, а именно в день смерти его отца, — свою роль сыграло то, как он умер и как хотел умереть. С тех пор он и начал свой труд, убежденный в том, что приступить к исполнению этого жеста будет труднее всего, но теперь понял, что его ждут неожиданные испытания; чтобы их преодолеть, ему не хватает опыта, и перед их лицом всех его знаний недостаточно. Но назад повернуть нельзя, иначе придется перед самим собой поставить вопросы, а на это ему не хватит таланта, да и ответов будет не найти. Итак, остается взбираться вверх по крутой тропе, и тут он вдруг обнаруживает, что сбился с пути: вехи, которые он заранее расставил, кто-то убрал или перепутал. И надо всем опускается туман или сумерки, непонятно. Он никогда не был так близок к тому, чтобы заблудиться, и по этой причине сейчас, самому себе удивляясь, выкладывал все человеку, который, насколько я помню, вечно вращался вокруг моей жизни, начиная с детства, всюду присутствуя и всегда отсутствуя, настолько необъяснимо, что я однажды не выдержал и спросил у Отца, кто это, и услышал ответ: «Слуга, наш лучший слуга». Тогда я спросил, чем занимается слуга. «Это человек, которого не существует», — объяснил отец.

Модесто улыбнулся.

— Довольно точное определение, — сказал он.

Но потихоньку, еле заметно, отставил ногу назад, отклонился от спинки стула, и Отец понял: нельзя и дальше требовать от этого человека, чтобы тот следовал за ним по пути его смятения. Он не был рожден для этого, да и должностью своей предназначался, чтобы служить ровно противоположному — управлять достоверностями, которые встречаются в жизни и кристаллизуются в семье.

Тогда Отец вернулся к своей обычной благодушной твердости.

— Завтра я поеду в город, — объявил он.

— Завтра не пятница, синьор.

— Знаю.

— Как будет угодно.

— Возьму с собой Юную Невесту. Мы поедем на поезде. Ты нам закажешь отдельные места, в этом я на тебя полагаюсь. Идеально было бы нам с ней ехать только вдвоем.

— Разумеется.

— И еще одно, Модесто.

— Слушаю.

Отец улыбнулся, видя, как побледневшее лицо старика вновь обретает свой цвет, теперь, когда его вывели на поверхность привычных дел из казематов зыбких размышлений, куда по неосторожности завели. Он даже вернул ногу на место, поставил рядом с другой, готовый остаться.

— Через двадцать два дня отправляемся на курорт, — проговорил Отец со спокойной уверенностью. — Никаких изменений в обычной программе. Дом, естественно, будет оставлен совершенно пустым, для отдыха, как мы всегда это делали.

Потом в общих чертах ответил на вопрос, который Модесто так и не осмелился задать.

— Сын поймет, как вести себя, какой бы оборот ни приняли дела.

— Хорошо, — кивнул Модесто.

Помедлив мгновение, он встал. «С вашего позволения», — сказал. Сделал несколько шагов назад, предваряя легендарный порыв ветра, но тут Отец задал ему вопрос, заставив прервать излюбленный номер и поднять на хозяина взгляд.

— Модесто, я давно хотел спросить тебя: ты-то, ты что делаешь, когда мы уезжаем и закрываем Дом?

— Пьянствую, — ответил Модесто с неожиданной готовностью, искренне и беспечно.

— Две недели?

— Да, синьор, все две недели, каждый день.

— И где же?

— Есть одна персона в городе, которая заботится обо мне.

— Могу ли я осведомиться, о какой персоне идет речь?

— Если имеется крайняя необходимость, синьор.

Отец на миг задумался.

— Нет, не думаю, чтобы имелась крайняя необходимость.

Модесто поклонился в знак признательности, и обычный шквал унес его прочь. Отцу даже показалось, что и на него подуло, таких высот достиг дворецкий в своем мастерстве. Отец посидел немного, пропитываясь восхищением, прежде чем встать и предпринять то, что во время беседы с Модесто пришло ему в голову: сделать это надо было довольно срочно, и он недоумевал, почему не подумал об этом раньше. Он вышел из кабинета и стал прочесывать дом в поисках того, кого хотел найти: а именно Дяди. Нашел его, разумеется, спящим, на диване в коридоре, на одном из тех диванов, на которые никто и не думает садиться, — их применяют к пространству, чтобы его скорректировать, надобность в них симулируется, чтобы заполнить пустоты. Той же логике подчиняются небылицы, какие рассказывают жены мужьям и мужья женам. Отец принес стул и поставил его рядом с диваном. Уселся. Дядя спал, держа между пальцев потухшую сигарету. Он носил на лице черты, лишенные малейшего признака мысли, дышал медленно, всего лишь по необходимости жить, лишенной какой-либо внешней цели или подспудных намерений. Отец заговорил вполголоса и сказал, что Сын исчез и он, Отец, представляет себе ежечасно, как юноша совершает непоправимый жест отречения от всех и, возможно, от себя самого. Сказал, что никак у него не получается интерпретировать этот жест в качестве возможного и плодотворного варианта судьбы юноши как мужчины и человека, хотя и должен признаться, что это не исключено; а все потому, что никогда не верил, будто в мире можно установить порядок, если какие-то кусочки мозаики получают преимущественное право исчезать: глагол, ему ненавистный. И теперь он безоружен и должен спросить, не может ли, случайно, он, Дядя, снова вернуть домой его мальчика, как это удалось ему давным-давно, неким таинственным, но аккуратным способом; или хотя бы растолковать, каким правилам хорошего тона подчиняются исчезновения, исходя из того, что ему известны все их подробности, а может, даже и конечные цели. Все это он говорил, нервно ломая руки, жест, совершенно ему несвойственный, происходящий, Отец знал это, с земель, куда он направлялся медленным шагом в свое последнее паломничество.

Дядя не пошевелился, но тайными были ритмы его присутствия, и Отец ждал и ждал, никуда не торопясь. Ничего не добавил к тому, что уже сказал, разве что, в виде постскриптума, долгое, терпеливое молчание. Наконец рука Дяди потянулась к карману, вынула спички. Дядя открыл глаза, вроде бы Отца вовсе не замечая, и прикурил сигарету. Только тогда повернулся к нему.

— Вещи, которые он отправляет, — сказал.

Разогнал табачный дым, который наплывал прямо на Отца.

— Он от них избавляется, — сказал.

Дядя не подносил сигарету ко рту, она курилась сама собой; казалось, он ее и прикуривал, делая ей одолжение.

— Я так его и не понял. Кто-нибудь понял? — спросил Дядя.

Отец сказал, что ему это показалось своеобразным способом вернуться, может быть, даже красивым: каждый раз понемногу. Это казалось *счастливым* способом вернуться.

— Он же, наоборот, уходил, — заключил Отец.

Дядя взглянул на сигарету, позволил ей дымиться еще несколько секунд, а потом потушил в цветочном горшке, который уже давно к такому привык.

— Именно, — подтвердил он.

Потом закрыл глаза. Уже во сне добавил, что никто не исчезает, чтобы умереть, но иные это делают, чтобы убить.

— Ну конечно, — изрекла Мать, ликуя, — разумеется, девочка должна увидеть город, иначе откуда возьмется у нее понимание готического собора или речной излучины.

В городе не было ни готических соборов, ни речных излучин, но никому и в голову не пришло осведомить об этом Мать (многие из ее силлогизмов были поистине неразрешимыми). Дело было посередине завтрака, тосты уже начинали остывать, а Отец и Юная Невеста в своих комнатах собирались в путь.

— Только я не понимаю, почему на поезде, — продолжала Мать. — Раз уж у нас есть автомобиль.

Аптекарь, записной ипохондрик, тем самым необычайно подходящий для своего ремесла, пустился в рассуждения об опасностях путешествий, каким бы способом их ни предпринимать. С определенной гордостью подчеркнул, что ни разу не удалялся от своего дома больше чем на тридцать пять километров. «Для этого требуется завидное постоянство», — признала Мать. «Одно из моих достоинств», — засмущался Аптекарь. «И изрядная доля глупости», — заключила Мать. Аптекарь слегка поклонился и прошептал: «Благодарю вас», — потому что выпил лишку, и только вечером, дома, заподозрив, что какие-то нюансы от него ускользнули, выстроил фразу целиком. После чего не мог заснуть. Его жена, мегера на десять лет его старше, с известным всей округе скверным запахом изо рта, осведомилась, что его беспокоит. «Кроме тебя?» — спросил в свою очередь Аптекарь, у которого бывали смолоду моменты просветления.

Так они очутились в поезде. Модесто хорошо потрудился, и целый вагон был предоставлен им двоим, в то время как в других люди теснились между чемоданов и детского визга. Невероятно, чего можно добиться, располагая большими деньгами и определенным даром вежливого обращения.

Отец сидел по ходу движения, из-за неисправности сердца и согласно столь же подробным, сколь идиотическим предписаниям своего кардиолога, доктора Ачерби. Юная Невеста оделась с безупречной элегантностью, выбрав скорее удлиненный покрой. В самом деле, Мать, провожая ее взглядом, наморщила нос. «Она что, едет навестить сестер?» — спросила у соседа, даже не обратив внимания на тот факт, что рядом сидит монсеньор Пазини. Но она никогда в разговоре не выбирала собеседников. Может быть, изрекая фразы, думала, будто говорит всему миру. В такое заблуждение впадают многие. «Возможно, и так», — вежливо ответил монсеньор Пазини. Несколько лет назад одна кармелиточка вскружила ему голову, но в данный момент он об этом и не вспомнил.

Когда поезд тронулся — а согласно предписанию уже упомянутого доктора Ачерби они явились на вокзал за час до его отправления, чтобы избежать какой бы то ни было возможности стресса, — Отец подумал, что пора приступать к операции, которую он, с определенной яростью в душе, решил осуществить в этот день.

— Вы, должно быть, задаетесь вопросом, зачем я вас взял с собой, — начал он.

— Нет, — отозвалась Юная Невеста.

На этом беседа оборвалась.

Но Отец должен был исполнить свою миссию, выверенную до миллиметра, так что он заново построил в уме весь план, затем открыл портфель, с которым всегда ездил в город (там часто не содержалось ничего, ему просто нравилось иметь что-то в руках, чтобы не забыть по дороге), и вынул оттуда письмо. Конверт был вскрыт и обклеен марками.

— Я получил это несколько дней назад, из Аргентины. Боюсь, вы должны прочесть это, синьорина.

Юная Невеста посмотрела на конверт так, как смотрят после рвоты на блюдо спаржи.

— Вы предпочитаете, чтобы я кратко изложил суть? — спросил Отец.

— Сказать по правде, я бы предпочла, чтобы вы положили его обратно в портфель.

— Это невозможно, — возразил Отец. — Вернее, бесполезно, — уточнил.

— Тогда я бы предпочла краткое изложение.

— Ладно.

Поезд грохотал.

— До меня дошли новости относительно вашего семейства, — начал Отец. — Не слишком-то хорошие, — уточнил.

Потом, видя, что Юная Невеста никак не реагирует, решил приступить прямо к сути дела.

— Видите ли, боюсь, я должен сообщить вам, что на следующий день после того, как вы отбыли из Аргентины, вашего отца нашли в канаве: он захлебнулся в двух вершках жидкой грязи.

На лице Юной Невесты не дрогнул ни один мускул. Отец продолжал:

— Он возвращался вечером неизвестно откуда, возможно, был пьян, или, хотелось бы думать, лошадь внезапно понесла и сбросила его. Скорее всего, несчастный случай, слепой удар судьбы.

— То не канава, — проговорила Юная Невеста. — То река, жалкая речушка, протекающая в тех местах.

Отец предвидел совсем другую реакцию и к ней подготовился. Он выронил письмо, пришлось наклониться, чтобы его поднять.

— Никакого удара судьбы, — продолжала Юная Невеста. — Он обещал это сделать, и сделал. Напился как свинья, а потом прыгнул с берега.

Голос был очень жестким, спокойным. Но Отец заметил слезы у нее на глазах.

— Вам известно что-то еще? — спросила Юная Невеста.

— Он оставил странное завещание, написанное в самый день смерти, — осторожно приступил Отец.

Поезд грохотал.

— Он оставил половину своего состояния жене, а вторую половину — детям, — сказал Отец.

— *Всем* детям?

— В этом-то и дело, если угодно.

— Угодно.

— Должен сообщить вам, синьорина, что вы не упомянуты.

— Ценю вашу тактичность, но предпочла бы обойтись без эвфемизмов: я знаю, чего могу ожидать.

— Скажем, вы упомянуты, но в контексте... несколько *суровом*, как бы я это определил.

— Суровом.

— Там есть только одна фраза, посвященная вам.

— И что говорит эта фраза?

— По-видимому, ваш отец желал, чтобы вы были прокляты на весь остаток ваших дней. Я цитирую по памяти и приношу глубокие извинения.

Слезы струились по ее щекам, но она сидела очень прямо и не сводила глаз с Отца.

— Что-нибудь еще? — спросила она.

— Это все, — заключил Отец.

— Откуда вы знаете такие вещи?

— Меня информируют, всякий, кто занимается коммерцией, старается получать информацию.

— Вы ведете дела с Аргентиной?

— Случается.

Юная Невеста не пыталась скрыть своих слез, даже не вытирала их. Но в голосе ее не было ни тени жалобы или удивления.

— Ничего, если мы немного помолчим? — спросила она.

— Ну еще бы, я вас прекрасно понимаю.

За окнами мелькали поля, всегда одинаковые; Юная Невеста погрузилась в свинцовое молчание, а Отец, вперив взгляд в пустоту, предался размышлениям. Мимо проносились полустанки, чьи названия расплывались; нивы, тучнеющие на жаре; хутора, лишенные поэзии; немые колокольни, крыши, овины, велосипеды; неясно видимые человеческие существа; извивы дорог, ряды посадок и один раз — цирк. Только на подъезде к городу Юная Невеста вынула платок, вытерла слезы и подняла глаза на Отца.

— Я — девушка без семьи и без гроша, — заключила она.

— Да, — согласился Отец.

— Сын знает об этом?

— Мне не показалось, будто есть настоятельная необходимость сообщать ему.

— Но он узнает.

— Это неизбежно, — солгал Отец, зная, что дела обстоят несколько сложнее.

— Куда вы меня везете?

— Что?

— Вы меня увозите прочь?

Отец заговорил твердо, он хотел, чтобы Юная Невеста поняла, насколько он владеет ситуацией.

— Вовсе нет, вы пока остаетесь в Семействе, синьорина, тут даже не о чем говорить. Я попросту желал побыть с вами наедине, чтобы сообщить новости, касающиеся вас. Я вовсе не увожу вас прочь.

— Тогда куда вы меня везете?

— В город, синьорина; вы должны всего лишь сопровождать меня.

— Я бы хотела вернуться домой. Можно?

— Разумеется. Но могу я вас попросить не делать этого?

— Почему?

Отец заговорил тоном, к которому прибегал редко и которым никогда не заговаривал с Юной Невестой. Тон был почти доверительный.

— Видите ли, мне было неприятно заниматься вещами, которые касаются только вас, и меня не порадовал тот факт, что я раньше вас узнал новости, к которым имею лишь косвенное отношение. У меня возникло досадное ощущение, будто я у вас что-то украл.

Он сделал короткую паузу.

— И я подумал, что испытаю облегчение от мысли, что и вас можно ввести в курс обстоятельств, которые вам неизвестны, но которые оказали, и до сих пор оказывают, огромное влияние на жизнь Семейства, в особенности на мою.

Юная Невеста взглянула на него с изумлением, на какое и намека не было, когда она услышала о своем отце.

— Вы хотите открыть мне какую-то тайну? — спросила она.

— Нет, я не в силах сделать это. И потом, я стараюсь избегать ситуаций, в эмоциональном плане слишком ко многому обязывающих, по причине предосторожностей медицинского характера, как вы, должно быть, понимаете.

Юная Невеста слегка кивнула в знак согласия.

Отец продолжал:

— Думаю, самый лучший план — пойти со мной туда, куда я вас приведу, в том месте любой сумеет рассказать вам то, что вы должны знать; для меня это очень важно.

Он уставился на свои запонки, подыскивая точные слова.

— Предупреждаю, что в первый момент это место вам покажется малопристойным, особенно после известий, которые вы только что получили, но по зрелом размышлении я взял на себя смелость предположить, что вы — девушка, не слишком связанная условностями, и убежден, что вы не смутитесь и в конце концов поймете, что другого способа нет.

В какой-то миг показалось, будто Юная Невеста хочет что-то сказать, но она всего лишь отвернулась к окошку. И увидела, как огромный вокзал раскрывает свою пасть из железа и стекла и заглатывает их.

— И что ты делаешь здесь совсем один? — спросила у меня Л., с ужасом окидывая взглядом мой дом, содержащийся в маниакальном порядке.

— Пишу книгу, — ответил я.

— А ты зачем пришла сюда? Чтобы нарушить мое одиночество? — спросил я, подмечая, что губы у нее все те же, их складку трудно понять.

— Прочесть твою книгу, — ответила она.

Но этот взгляд ее мне знаком. Так глядят все, кто тебя окружает, когда месяцами, может годами ты работаешь над книгой, которую еще никто не прочел. Где-то в самой-самой глубине они уверены, что *по-настоящему* ты ее и не пишешь. Чего они ожидают, так это найти у тебя в ящике гору листов, где тысячу раз написано: *Кто рано встает, тому Бог подает*. Надо видеть, как они удивляются, обнаружив, что ты и в самом деле написал книгу. Обормоты.

Я протянул ей отпечатанные листы, она растянулась на диване, закурила и принялась читать.

Я был знаком с ней когда-то давно. Однажды она мне поведала, что умирает, но, возможно, она была просто несчастлива или ее плохо лечили. Теперь у нее двое детей и муж. Она произносила умные фразы о том, что я писал, когда мы любили друг друга в гостиничных номерах, потрепанные жизнью, но упорные. Она произносила умные фразы и о людях, которые живут, и даже о том, как живем мы. Возможно, я ожидал, что она вновь мне откроет карту Земли и покажет, где я есмь, — я знал, что в случае чего она это сделает красивым жестом, это в ней было неистребимо. Поэтому я ей ответил, когда она мне написала, явившись из небытия, где однажды сгинула. В последнее время я таких вещей не делаю. Не отвечаю никому. Ни у кого ничего не прошу. Но думать об этом не стоит, иначе можно задохнуться от ужаса.

Теперь она лежала на диване и читала то, что было отпечатано на листках, и вовсе не *Кто рано встает, тому Бог подает*. У нее это заняло час, может, чуть больше. Все это время я смотрел на нее и подбирал название для той пленки, что по-прежнему покрывает женщин, которых мы любили в былые времена, если они нас не бросили, не возненавидели, не напустились, а попросту отошли в сторону. Это не должно бы меня особо волновать сейчас, ведь я уже практически ни для чего не могу подобрать названия, но, по правде говоря, это название у меня провисло, долгие годы оно ускользает от меня. Вот-вот, кажется, ухвачу его — но нет: заползает в какую-то неразличимую трещину. И потом никакими судьбами его не вытащить наружу. Остается аромат безымянного влечения, а все безымянное теряется.

Наконец она потянулась, положила листы на пол и повернулась на бок, чтобы лучше разглядеть меня. Она все еще была красива, на этот счет никаких сомнений.

— Куда же, черт побери, он ее везет?

Это насчет Отца и Юной Невесты.

Я сказал куда.

— В бордель? — переспросила она недоверчиво.

— В очень элегантный, — ответил я. — Вообрази себе огромный зал, погруженный в мягкий, рассеянный, тщательно продуманный свет; люди во множестве стоят вдоль стен или сидят на диванах; официанты в углах, подносы, хрусталь; ты могла бы подумать, что это очень чинный праздник, только приличия чуть нарушены тем, что лица слишком соприкасаются, движения рук не всегда пристойны: то ладонь скользит под юбку, то пальцы играют с локоном или с серьгою. Всего лишь детали, но выбивающиеся из общей картины, хотя никто их вроде бы не замечает и не смущается ими. Декольте ничего не скрывают, диваны прогибаются под сплетающимися телами, сигареты переходят из губ в губы. Можно сказать, что какая-то неотложная необходимость вызвала на поверхность контур бесстыдства, которое обычно погребено под слоем условностей: так при археологических раскопках проступают на церковном полу пятна похабной мозаики. Юную Невесту это зрелище ослепило. По тому, как иные пары вставали, а потом исчезали за дверями, которые открывались перед ними, а затем закрывались, она догадалась, что главный зал — это наклонная плоскость и все жесты, все движения устремляются в иное, лабиринтное пространство, скрытое где-то в здании.

— Зачем вы меня сюда привели? — спросила она.

— Это особое место, — сказал Отец.

— Я поняла. Но что это?

— Скажем, в некотором роде клуб.

— Все эти люди — они настоящие?

— Не уверен, что понял вопрос.

— Или они — актеры, играют спектакль?

— О, если вы это имели в виду, то нет, решительно нет. Цель не в этом.

— Значит, это то, что я думаю.

— Возможно. Но — видите даму, которая идет нам навстречу — с улыбкой, элегантная? Уверен, она найдет способ все вам объяснить; тогда вы и смущаться перестанете.

Элегантная Дама держала в руке бокал шампанского; подойдя, она бросилась целовать Отца, что-то нашептывая ему на ухо. Потом обернулась к Юной Невесте.

— Я много слышала о тебе, — сказала она и поцеловала девушку в щеку. Дама, очевидно, была в молодости очень красива, но теперь ей уже не нужно было что-то выставлять напоказ. Она надела великолепное, но закрытое платье, а в волосах сверкали драгоценности, которые Юной Невесте показались древними трофеями.

«Потому что я вообразил себе, — сказал я Л., — как Элегантная Дама и Юная Невеста сидят посреди этого сомнительного празднества, но чуть в сторонке, на отдельном диванчике, едва видном в неярком, рассеянном свете, почти что замкнутые в собственной прозрачной сфере, расположенной близко к бесстыдному веселью окружающих, но будто бы выдуваемой из стекла ими произносимых слов. Я так и вижу, как они что-то пьют, вино или шампанское, и знаю, что время от времени оглядываются вокруг, но ничего не видят. Знаю, что никому и в голову не придет к ним подойти. Элегантная Дама должна была выполнить задание, но без спешки; рассказать историю, но с большим тактом. Она говорила медленно и называла вещи своими именами без малейшего стеснения, ведь это было частью ее ремесла».

«Что за ремесло?» — спросила у меня Л.

Элегантная Дама рассмеялась красивым хрустальным смехом.

— Как это — *что за ремесло*, детонька? Единственное, каким можно заниматься здесь.

— А именно?

— Мужчины платят за то, чтобы лечь со мной в постель. Я, конечно, несколько упрощаю.

— Можете не упрощать.

— Ну, они могут также платить за то, чтобы *не* ложиться со мной в постель, или за то, чтобы говорить, щупая меня; или за то, чтобы смотреть, как я совокупляюсь; или за то, чтобы я смотрела; или...

— Достаточно, я поняла.

— Сама просила не упрощать.

— Да, конечно. Невероятно.

— Что невероятно, милая?

— Что есть женщины, которые занимаются таким ремеслом.

— О, не только женщины — такими вещами и мужчины занимаются. Если ты чуть внимательнее посмотришь вокруг, то увидишь женщин не первой свежести, которые тратят деньги напропалую и весьма оригинальным образом. Вон там, например. Но и вот эта девушка, высокая, которая смеется. Мужчина, с которым она смеется, недурен, правда? Могу заверить тебя, что она его покупает.

— За деньги.

— Да, за деньги.

— Как можно дойти до такого — заниматься любовью *за деньги*?

— О, есть много причин.

— Например?

— С голодухи. От скуки. По случаю. Потому, что у тебя талант. Чтобы кому-то отомстить. Из любви к кому-то. Выбирай что хочешь.

— Разве это не ужасно?

Элегантная Дама сказала, что даже уже и не знает. «Может быть, — сказала. — Но глупо не понимать, — добавила, — что есть нечто интригующее в том, чтобы стать шлюхой», и по этой причине я, сидя перед Л., которая растянулась на диване и смотрела на меня, повернувшись на бок, дошел до того, что спросил у нее, не приходило ли ей в голову, что есть нечто интригующее в том, чтобы стать шлюхой. Она ответила — да, приходило; да, она об этом думала. Потом мы долго молчали.

— Например, раздеться перед незнакомцем, — сказала она, — это должно быть здорово. И всякие другие вещи, — сказала.

— Какие вещи?

Я это у нее спросила, потому что помнила, как она прекрасно держит себя и не стыдится называть вещи своими именами.

Она долго вглядывалась в меня, прикидывала, до какого предела можно дойти.

— Минуты, или часы, ожидания. Ты знаешь, чем ты займешься, но еще не знаешь с кем.

Она медленно проговорила это.

— Одеваться безо всякого стыда.

— Любопытство: открывать для себя тела, на которых ты сама ни за что не остановила бы свой выбор; брать их в руку, трогать, как только можно...

Она немного помолчала.

— Посмотреться в зеркало, когда на тебе — мужчина, которого ты видишь в первый раз.

Взглянула на меня.

— Заставить его кончить.

— Чувствовать себя ужасно красивой, — сказала Элегантная Дама. — С тобой такое бывало?

— Да, однажды утром, — сказала Юная Невеста.

— Может быть, даже чувствовать, как тебя презирают, — сказала Л., — но не знаю: может быть. Может быть, мне понравится заниматься этим с кем-то, кто меня презирает, не знаю, это, должно быть, очень сильное ощущение, что-то такое, что в жизни с тобой не происходит.

— И много других вещей, какие в жизни с тобой не происходят, — заключила Элегантная Дама.

— Ну а вот теперь хватит, — заявила Л.

— Почему?

— Довольно, перестань.

— Продолжай.

— Нет, на сегодня хватит, — сказала Элегантная Дама.

— Да, — согласилась Юная Невеста.

— Я должна рассказать тебе одну историю. Я обещала Отцу.

— Тебе обязательно это делать?

— Да.

— Лучше расскажи мне историю, — попросила Л.

То была история Отца.

Который в тот бордель хаживал дважды в месяц, скорее по медицинским показаниям, имея целью извергнуть из тела лишние гуморы и поддержать равновесие в организме. В плане эмоций это дело редко выходило за пределы домашних медицинских процедур и осуществлялось среди удовольствия от беседы и в чистоте, сравнимой с чайной церемонией. Бывали даже случаи, когда дежурной медсестре приходилось мягко отчитывать Отца — *Не иначе как мы сегодня вздумали лениться, а?* — при этом теребя пальцами его член, с великим искусством, но жалкими результатами. Тогда беседа прерывалась, и медсестра брала руку Отца и клала ее себе между бедер — или оголяла грудь и подносила к его губам. Этого хватало, чтобы процедура возобновлялась и достигала цели: Отец вплывал в широкое устье оргазма, совместимого с неисправностью сердца.

«Если это может показаться тоскливо антисептическим, может, даже чуточку циничным или чрезмерно профилактическим, следует вспомнить, однако, что на заре всего, много лет назад, история эта была, напротив, историей яростных страстей, — говорила Элегантная Дама Юной Невесте, — и любви, и смерти, и жизни. Ты ничего не знаешь об Отце Отца, — говорила, — но тогда его знали все, ибо этот человек высился, подобно гиганту, посреди пристойного ландшафта округи. Он промыслил богатство Семейства, распространил легенду о нем и задал ритм его неизменного счастья. Он первым утратил имя, потому что люди, все люди, называли его *Отец*, прозревая в нем не просто человека, но исток, начало, древнее время, час без прецедента и первозданную почву. До него, наверное, ничего и не существовало, поэтому для всех и для всего он был *Отцом*. Сильный мужчина, спокойный, мудрый и обаятельно некрасивый. Он не использовал свою молодость: вся она пошла на то, чтобы промышлять, строить, сражаться. В тридцать восемь лет он поднял голову и увидел: все, что он воображал, свершилось. Тогда он отправился во Францию и не подавал о себе вестей до тех пор, пока через несколько месяцев не вернулся домой вместе с женщиной тех же лет, которая не говорила на нашем языке. Он на ней женился, отказавшись венчаться в церкви, а через год она умерла родами, произведя на свет сына, который всю свою жизнь должен влачить, в память о ней, неисправность сердца: нынче ты его называешь *Отцом*. Траур длился девять дней, не дольше продлилось и уныние, поскольку Отец Отца не верил в несчастье или не понимал еще его цели. Так все стало как прежде, с незаметным прибавлением в виде ребенка и другим, более бросающимся в глаза, в виде обещания: Отец Отца поклялся, что никогда больше не полюбит ни одной женщины в мире и ни на одной не женится. Ему тогда исполнилось тридцать девять лет, он был в расцвете сил, и тайны, и обаятельной некрасивости: все решили, что он понапрасну губит себя, и от него самого не укрылась опасность, которая возникает, когда вопреки здравому смыслу отрекаешься от вожделения. И он отправился в город, купил дворец, стоящий в укромном месте, но роскошный, и устроил на последнем этаже заведение, во всем подобное тому, где он в Париже познакомился с той француженкой. Оглянись вокруг, и ты это заведение увидишь. С тех пор практически ничего не изменилось. Полагаю, какая-то малая часть богатства, к которому и ты получишь доступ, когда выйдешь замуж, происходит отсюда. Но не экономической стороной дела интересовался Отец Отца. Дважды в месяц, всегда по пятницам, он входил в эту дверь на протяжении двадцати двух лет, ибо подтвердил свою клятву до самой смерти не допускать к себе в сердце любовь, но и не лишать тело радостей. И поскольку то был *Отец*, он и вообразить себе не мог, чтобы делать это как-то иначе, нежели в обрамлении роскоши и в атмосфере всеобщего и постоянного праздника. Все это время самые богатые, амбициозные, одинокие, прекрасные женщины города тщетно пытались заставить его нарушить обещание. Такая осада забавляла его, но крепость, окруженная стенами воспоминаний, обороняемая блистательным полком путан, оставалась неприступной. Так было до тех пор, пока в него не влюбилась без памяти молоденькая девушка. Она обладала ослепительной красотой и непредсказуемым умом, но опасность представляло нечто иное, неощутимое и неизведанное: она была свободна, причем так естественно, безгранично свободна, что нельзя было отличить в ней простодушия от ярости. Возможно, она начала вожделеть к Отцу Отца еще до того, как его увидела; может быть, ее привлекла трудность предприятия, и ей определенно пришлось по нраву войти в легенду. Без колебаний она сделала удивительный ход, который сама сочла всего лишь логичным: пришла работать сюда и стала дожидаться его. Однажды он ее выбрал и с того дня выбирал только ее одну. Это длилось долго, и за все время они ни разу не виделись вне этих стен. Поэтому Отцу Отца, должно быть, казалось, будто крепость его не захвачена и клятва нерушима: слишком поздно обнаружил он, что враг уже внутри и нет больше ни клятвы, ни крепости. Он совершенно уверился в этом, когда девица призналась, без всякого страха, что ждет ребенка. Трудно сказать, рассматривал ли Отец Отца возможность заново построить свою жизнь на основе этой поздней страсти и этого неожиданного потомства, потому что, если оно и было так, он не успел ничего поведать самому себе и миру: он умер ночью, между ног девицы, ощутив толчок у нее в животе, в полумраке спальни, которую с тех пор никто никогда не занимал. Если тебе скажут, что его подвела неисправность сердца, сделай вид, будто веришь. Но очевидно, виной была растерянность, изумление, может быть, усталость; наверняка облегчение от мысли, что ему не придется теперь промышлять себе иной конец. Девица так и держала его у себя между ног, гладила волосы, нашептывала что-то о странствиях и творцах все время, потребное для того, чтобы человек, посланный за город, известил домашних. Все было разыграно как по нотам, ведь многие мужчины умирают в борделях, но ни один мужчина в борделе не умирает, как известно. Поэтому все мы знали, что делать и как. Чуть-чуть раньше рассвета приехал Сын. Теперь ты зовешь его Отцом, но тогда ему было чуть больше двадцати лет, и по причине неисправности сердца он слыл юношей застенчивым, элегантным и таинственным. В борделе его видели редко, да и в эти редкие дни пребывание его было едва заметно. Он доверялся только одной женщине, португалке, которая обычно работала на знатных, очень богатых дам: те посылали к ней для обучения своих дочерей. Она и вышла той ночью ему навстречу. Повела в спальню, легла рядом и поведала, что предстоит ему увидеть, объяснив все в подробностях и ответив на все вопросы. Хорошо, согласен, сказал Сын. Потом встал и направился к Отцу. В тот конкретный момент Семейство существовало скорее как гипотеза, подтверждение которой зависело от еще не рожденной жизни по ошибке зачатого ребенка и от хрупкого здоровья юнца.

Но никто еще не понимал, что это за юнец, и никто не мог знать, что ежедневная близость смерти делает человека изворотливым и амбициозным. Он сидел в кресле, в углу спальни, и, прижимая обе руки к сердцу, дабы уберечь его, долго вглядывался в окаменевшую спину Отца и в лицо девицы, которая что-то нашептывала мертвецу, широко раскинув ноги и охраняя его покой. Он понял: что-то причудливое вклинилось в судьбы семейства и трудно теперь отделить рождение от смерти, созидание от разрушения и вожделение от убиения. Он спросил себя, имеет ли смысл противиться инерции судьбы, и понял, что хватит десяти минут, чтобы разрушить все до основания. Но не для этого он родился, и не для этого умерла его мать. Он встал и велел позвать верного слугу, с которым вместе прибыл, — человека неповторимых достоинств. Сказал ему, что Отец умер дома, в своей постели, в три часа сорок две минуты ночи, одетый в свою лучшую пижаму и не успев позвать на помощь. «Это очевидно», — сказал слуга. «Возможно, неисправность сердца», — сказал Сын. «Несомненно», — сказал слуга, уже подходя к девице и с незабвенной фразой — *Вы позволите?* — склоняясь над телом Отца. С неожиданной силой взял его на руки. Потом каким-то образом постарался, чтобы тело исчезло из борделя так, чтобы никто этого не увидел, не портя удовольствия и не нарушая праздника, который в этих стенах вменяется всем в обязанность и длится неизменно, вечно. Оставшись наедине с девицей, Сын представился. Спросил, знает ли она что-нибудь о нем. «Все», — ответила девица. «Хорошо, это нам сэкономит время», — отметил Сын. Потом объявил, что они поженятся, а ребенок, которого она носит в чреве, будет как будто бы зачат им и навсегда пребудет их возлюбленным сыном. «Почему?» — спросила девица.

— Чтобы восстановить порядок в мире, — ответил он.

На следующий день он отдал распоряжение, чтобы траур длился девять дней, начиная со дня похорон. На десятый день объявил о помолвке, а в первый день лета отпраздновал свадьбу с незабываемым ликованием. Через три месяца девица родила, отнюдь не умерев, младенца мужского пола, за которого ты вскорости выйдешь замуж: с тех пор мы все зовем ее *Матерью*. В Доме, с которым ты познакомилась, она стала хозяйкой, приложив к тому старание; она — свет, позволяющий мужчине, которого нынче мы все зовем Отцом, жить в полумгле, яростно поддерживая порядок в мире. Что-то соединяет их, но очевидно, что слово «любовь» в данном случае ничего не объясняет. Сильней любви тайна, которую они вместе хранят, и цель, которую они для себя избрали. Однажды, после того как уже целый год супруги жили под одной крышей, но не спали в одной постели, они почувствовали себя достаточно сильными для того, чтобы бросить вызов двум видам страха, которые каждый из них привык сопрягать с сексом: он — страху смерти, она — боязни убить. Они заперлись в спальне и не выходили оттуда, пока не убедились, что, если и лежало на них какое-то заклятие, теперь оно разбито. Благодаря этому существует Дочь, которая в те ночи была зачата: повелев ей быть прекрасной калекой, судьба, без сомнения, оставила зашифрованное послание, которого так до сих пор никто и не понял. Но это всего лишь вопрос времени, рано или поздно все станет ясно. Когда ты приводишь мир в порядок, говорит Отец, не ты решаешь, с какой скоростью он будет меняться. Он хотел, чтобы я рассказала тебе эту историю, сама не знаю почему. Я рассказала. Теперь не смотри на меня так и допивай вино, девочка».

Но Юная Невеста сидела неподвижно, глаз не сводя с Элегантной Дамы. Казалось, она вслушивалась, позабыв обо всем, в слова, которые задержались в пути, но теперь толпились, запоздавшие, лишенные звучания. Она их воспринимала с невольной досадой. Спрашивала себя, что такое стряслось с этим днем, отчего он так размяк, что выдал все тайны, вдребезги разбив, разрушив дар неведения. Не понимала, чего хотят от нее эти люди, столь скупые и столь щедрые на истины, которые ей казались опасными.

Сама не зная как, она выдавила из себя вопрос, с трудом облекая его в слова:

— Если это секрет, откуда ты его знаешь?

Элегантная Дама ответила, не утратив непринужденности:

— Я родилась в Португалии и обучаю сексу девушек из хорошего общества.

— Ты.

— Тебе нужны уроки?

— Мне ничего не нужно.

— Да, тебе ничего не нужно, согласна.

— Или все-таки кое-что нужно.

— Говори.

— Можешь меня оставить ненадолго одну?

Элегантная Дама не отвечала. Она всего лишь подняла взгляд и посмотрела в зал, но так, будто бы она его опустила на шахматную доску, где кто-то начал партию, исход которой она в состоянии предсказать без малейших сомнений. Потом принялась стягивать, довольно медленно, великолепные перчатки, шелковые, красные, длиной до локтя, а сняв, положила их на колени Юной Невесте.

— Значит, хочешь остаться одна, — сказала.

— Да.

— Хорошо, согласна.

И она, Элегантная Дама, поднялась с места, без обиды, без спешки, без чего бы то ни было вообще. Так она поднималась с многих диванов, многих постелей, выходила из многих спален, многих жизней.

Л. тоже поднялась с места, но не так спокойно и мирно, ей вообще неведомы мир и покой, насколько я знаю. Она потянулась и посмотрела на часы.

— Черт.

— Тебе пора идти?

— Мне было пора идти уйму времени тому назад.

— Ты и *ушла* уйму времени тому назад.

— Не в том смысле, придурок.

— Ты ушла и забыла на постели пачку сигарет, полупустую. Я несколько месяцев носил ее с собой. Иногда выкуривал по сигаретке. Потом сигареты кончились.

— Не начинай.

— Я не начинаю.

— И прекрати убивать себя в этой хреновой квартире, похожей на логово маньяка.

— Тебе вызвать такси?

— Не надо, я на машине.

Она надела жакет и поправила волосы перед своим отражением в окне. Потом постояла с минуту, глядя на меня; я думал, что она колеблется, стоит ли поцеловать меня на прощание, но в действительности она размышляла совсем о другом.

— Зачем весь этот секс?

— В каком смысле?

— Весь этот секс, в книге.

— В моих книгах почти всегда есть секс.

— Да, но здесь это просто наваждение.

— Ты думаешь?

— Сам знаешь.

— Наваждение — это уж слишком.

— Может быть. Но очевидно, что-то влечет тебя к описаниям секса.

— Да.

— И что же?

— То, что секс трудно описывать.

Л. расхохоталась.

— Ты не меняешься, а?

Больше она ничего не сказала. Ушла не обернувшись, не попрощавшись; она по-прежнему так поступала, и это мне нравилось.

Она ушла красиво, не обернувшись, не попрощавшись, подумала Юная Невеста, глядя, как Элегантная Дама проходит по залу. Мне нравится. Кто знает, сколько нужно провести ночей, чтобы стать вот такой. И растратить дней, подумала. Лет. Налила себе еще вина. Чего уж там. Странное одиночество посреди такого празднества. Мое одиночество, тихо сказала себе. Выпрямила спину, отвела плечи назад. Теперь приведу в порядок мысли, расставлю по алфавиту все мои страхи, подумала. Но ум оставался неподвижным, неспособным выстраивать мысли одну за другой и направлять их по прямому пути: пустым. Хотелось бы задаться вопросом, что же все еще принадлежит ей, после целого дня историй. Сделала робкую попытку. Во-первых, у меня больше никого нет. Но у меня и так никогда никого не было, так что ничего не изменилось. Но затем ум становился пустым, неподвижным. Ленивое животное. Хорошо, что все узнали наконец; теперь я могу быть собой; хорошо и то, что узнала я, иначе этот отец так и стоял бы у меня поперек горла, всю жизнь, хорошо, что он сдох, еще как хорошо. Со временем выясню, я ли убила его, а сейчас я слишком юна, мне нужно остерегаться, чтобы не убить себя. Прощай, отец, братья, прощайте. Но после — пустота, снова, даже не мучительная, просто непоправимая. Девушка подняла взгляд на праздник, бурливший вокруг, и заметила, что она — тень, в своем неподходящем платье, фигура у края доски, сделавшая не поддающийся разгадке ход. Ей было все равно. Она опустила глаза и уставилась на красные шелковые длинные перчатки, которые лежали у нее на коленях. Трудно сказать, был ли в них какой-нибудь смысл. Девушка сняла жакет и осталась в своем простеньком платье без рукавов. Взяла перчатки и надела их, с тщанием, но без определенной цели, или же предвидя последствия, ей пока неведомые. Ей нравилось находить для каждого пальца мягкое пристанище, а потом натягивать красный шелк все выше и выше, до самого локтя. Ее радовал этот бесполезный жест. Здесь я могу многому научиться, сказала она себе. Хочу вернуться сюда, одевшись по-другому; может быть, Отец позволит мне вернуться. Интересно, была ли здесь когда-нибудь Дочь? А Мать, молоденькой девушкой, как смотрелась здесь? Великолепно смотрелась. Она поглядела на свои руки; казалось, эти руки она забыла где-то и теперь их ей вернули. Должно быть, выглядят нелепо, с таким-то платьем, подумала. Не важно. Девушка спросила себя, что ей важно в этот момент. Ничего. Потом заметила, что какой-то мужчина остановился перед ней. Подняла глаза: молодой, кажется, воспитанный и что-то ей говорит, должно быть остроумное: улыбается. Я тебя не слушаю, подумала Юная Невеста. Но мужчина не уходил. Я тебя не слушаю, но это правда: ты молодой, не пьяный, на тебе красивый пиджак. Мужчина по-прежнему улыбался ей. Потом изящно поклонился и спросил, очень вежливо, нельзя ли присесть рядом. Юная Невеста долго смотрела на него, будто должна была припомнить всю историю, прежде чем дать ответ. Наконец позволила ему сесть, не улыбнувшись. Мужчина снова заговорил, а Юная Невеста все смотрела на него пристально, не слыша ни единого слова; но когда он протянул бокал шампанского, который держал в руке, поднесла вино к губам без всякого стеснения. Он всматривался в девушку так, будто пытался разгадать загадку.

— Если не понимаете, можете спросить, — сказала Юная Невеста.

— Я вас здесь никогда не видел, — отметил мужчина.

— Я тоже никогда себя не видела здесь, — отозвалась она. Да и сейчас не вижу, подумала.

Мужчина осознал, как ему повезло встретить неопытную и чистую девушку; на вечеринках подобного рода такое случалось редко и привлекало по-особому. Зная, что часто гостям предлагают искусно разыгранный спектакль, он склонился, чтобы прижаться губами к шее Юной Невесты, а когда та невольно отпрянула, начал думать, что в этот вечер судьба действительно сулит ему отраду: стоит проявить немного терпения, и вечер этот надолго останется в памяти.

— Простите, — вымолвил он.

Юная Невеста взглянула на него.

— Ничего, — сказала она, — не обращайте на меня внимания, сделайте так еще раз, я просто ничего такого не ожидала.

Мужчина снова склонился над ней, и Юная Невеста позволила поцеловать себя в шею, закрыв глаза. Подумала, что этот мужчина здорово умеет целоваться. Он чуть коснулся ее лица: чистая, невинная ласка. Когда отстранился, руку не убрал, но продолжал ласкать лицо, едва притрагиваясь кончиками пальцев, пока не коснулся губ, которых прежде не замечал, и теперь поразился вдруг тому, что платье перестало казаться таким необъяснимо неподходящим, и на миг усомнился, верно ли он рассудил. Она знала почему и, поражаясь самой себе, раскрыла губы навстречу пальцам мужчины, подержала их одно обжигающее мгновение, потом подняла голову, отстранила мужчину вежливым жестом и сказала, что даже не знает, кто он такой.

— Кто я такой? — переспросил он, глаз не сводя с ее губ.

— Можете что-нибудь выдумать, — сказала Юная Невеста.

Тогда он улыбнулся, глядя на нее в молчании, и уже не очень понимал, что происходит.

— Я живу не здесь, — сказал.

— А где?

— Да так, в другом месте, — отмахнулся мужчина и добавил, что он — ученый.

— Что изучаете?

Он объяснил, причем сам не зная почему, тщательно выбирал слова — хотел, чтобы девушка действительно поняла.

— Вы это выдумали? — спросила она.

— Нет.

— Правда?

— Клянусь.

Он придвинулся, чтобы поцеловать ее в губы, но она откинулась назад и, вместо того чтобы подарить ему поцелуй, взяла его руку, положила себе на колено и стала потихоньку двигать вверх, к подолу платья, но движение это, незаметное, скаредное, миллиметр за миллиметром, не поддавалось разгадке и не выдавало истин-

ных намерений. Она и сама в тот момент не знала, чего ищет. Но ощутила, как где-то внутри, в
глубине тела возникает абсурдное желание, чтобы рука этого мужчины касалась ее. Не то чтобы этот мужчина нравился ей, он ей был безразличен, она скорее испытывала настоятельную
потребность что-то исторгнуть из себя, и раз-
двинуть ноги под мужскою лаской ей казалось
способом самым коротким или простым. Сме-
рила его ничего не значащим взглядом. Мужчина молчал. Потом осторожно просунул руку под
платье. Спросил, откуда она и кто. Юная Невеста ответила. Припоминая, высоко ли натяну-
ты чулки, и скоро ли пальцы мужчины коснутся
кожи, заговорила. Никак не ожидала услышать
собственный голос, спокойный, почти холодный,
произносящий слова правды. Сказала, что выросла в Аргентине, и, поражаясь сама себе, поведала мечту отца: пампа, стада скота, огромный
дом, затерянный в небытии. Рассказала о семье.
В этом не было смысла, но я ему все рассказала.
Он медленно, с некоторым изяществом гладил
мое колено, ладонь его иногда застывала, и двигались только пальцы. «То, что казалось легким
в Италии, — рассказывала я, — там оказалось
куда более сложным». И сама не заметила, как
впервые выдала свой секрет, поведав, что в
какой-то момент отцу пришлось продать все,
чем он владел в Италии, чтобы не расстаться с
мечтой. «Он был упорен в своих иллюзиях и от-

важен в заблуждениях, — сказала я. — И он продал все, что у нас было, чтобы расплатиться с долгами и начать все сначала немного восточнее, там, где трава показалась ему такого, как надо, цвета и гадалка предсказала безграничное запоздалое везение». Мужчина слушал. Смотрел мне в глаза, потом опускал взгляд на губы — я-то знала почему. Рука его забралась под платье, поднималась все выше, и я это позволяла, ведь именно этого по какой-то таинственной причине мне и хотелось. Говорила, что там были правила, которых мы не понимали, а может, не понимали землю, воду, ветер, животных. Были там старинные войны, к которым мы примкнули последними, и покрытая тайной идея собственности, и ускользающее понятие правосудия. А также невидимая тяга к насилию, легко ощутимая, но совершенно непроницаемая, не поддающаяся разгадке. Не припомню точно когда, говорила Юная Невеста, но в какой-то момент ко всем нам пришла уверенность, что все идет прахом и, если мы останемся еще хоть на один день, больше никак не получится вернуться назад. Мужчина склонился, чтобы поцеловать ее в губы, но она откинула голову, потому что должна была выразить в словах некую истину, которую впервые провозглашала в полный голос. «Мужчины моей семьи глядели друг другу в глаза, — сказала она, — и только отец не потупил взгляд. Так я поняла, что для нас спасения нет».

Не переставая ласкать меня, мужчина смотрел мне в лицо, возможно пытаясь понять, так ли уж важно для меня то, что я рассказываю. Я умолкла, вгляделась в него томным взглядом, как я понимала — вызывающим. Почувствовала его руку под платьем, между ног, и вдруг поняла, что могу делать с этой рукой все, чего захочу. Это невероятно — но, когда произносишь истину, долгое время скрываемую, становишься более надменным, или самоуверенным, или — ну, не знаю, сильным, что ли. Я чуть-чуть откинула голову назад и закрыла глаза, ощущая, как эта рука поднимается все выше и выше к бедрам. Хватило легкого вздоха, чтобы она продвинулась туда, где заканчивались чулки и начиналась голая кожа. Я спросила себя, в самом ли деле получится ее остановить. Открыла глаза и сказала, голосом сладким до абсурда, что мой отец вечерами проделывал в точности тот же самый жест своей одеревеневшей рукой — садился рядом и, пока братья безмолвно выходили из комнаты, точно так же залезал мне под юбку своей ссохшейся, деревянной ладонью. Мужчина остановился. Вернулся к колену, но без резкого жеста, попросту так, будто уже давно собирался это сделать. «То был уже не отец, которого я знала, — говорила Юная Невеста, — то был сломленный человек. Мы были одни, настолько одни, что, если пролетал ястреб, это уже было явлением, а если кто-нибудь спускался к нам со склона холма — целым событием». Она была обворожительна, когда говорила это: взгляд, затерянный в темных далях, твердый голос. И мужчина склонился, чтобы поцеловать ее в губы, и в этом жесте он сам не мог бы отличить неодолимое желание от рыцарственной потребности защитить. Юная Невеста позволила поцеловать себя, потому что в этот момент поднималась по склону истины и всякий другой жест ей был безразличен — ведь шла она в иные края. Язык мужчины она едва ощутила, ей это было не важно. Ощутила, но периферическим восприятием, что рука под платьем приближается к паху. Оторвалась от губ мужчины и сказала, в конце концов, что единственный выход, какой они нашли, было вступить в соглашение с тамошними людьми, а это означало, что мне предстоит выйти замуж за человека, едва знакомого. Он даже не был уж слишком неприятным, — улыбнулась Юная Невеста, — но я была обручена с юношей, которого любила, здесь, в Италии. Которого люблю, — поправилась я. Чуть-чуть раздвинула ноги и позволила пальцам мужчины проникнуть в лоно. Так, я сказала отцу, что никогда этого не сделаю и уеду, как всегда и предполагала, чтобы выйти замуж здесь, и ничто не помешает мне так поступить. Он сказал, что этим я его погублю. Сказал, что, если я уеду, он покончит с собой на следующий день. Мужчина раскрыл мое лоно пальцами. Я сказала, что убежала ночью, с помощью братьев, и не оглянулась назад, пока не пересекла океан. И когда мужчина сунул пальцы в мое лоно, я сказала, что на следующий день после моего бегства отец покончил с собой. Мужчина остановился. Говорят, будто он пьяным свалился в реку, добавила я, но я-то знаю, что он выстрелил себе в голову из ружья, ведь он в точности описал мне, как это сделает, и заверил, что в последний миг не испытает ни страха, ни сожалений. Тогда мужчина посмотрел мне в глаза, желая знать, что происходит. Я с нежностью взяла его руку и вынула из-под платья. Поднесла ее к губам и на миг взяла его пальцы в рот. Потом сказала, что буду ему безмерно благодарна, если он будет столь любезен и оставит меня одну. Он глядел, ничего не понимая. Я буду вам безмерно благодарна, если сейчас вы будете настолько любезны, что оставите меня одну, повторила Юная Невеста. Мужчина задал вопрос. Прошу вас, сказала Юная Невеста. Тогда мужчина встал, повинуясь рефлексу хороших манер, не понимая, что с ним произошло. Сказал какую-то вежливую фразу, но все не уходил, продлевая то, чего не ведал. Наконец сказал, что это — не самый подходящий способ занимать мужчину в таком месте. Не могу не признать вашей правоты и прошу принять мои извинения, сказала Юная Невеста: но спокойно, без тени сожаления. Мужчина отвесил прощальный поклон. Много раз за всю свою жизнь он пытался забыть об этой встрече, но безуспешно; или рассказать о ней кому-то, но не находил нужных слов.

—————

— Они вам идут, — заметил Отец, указывая на длинные красные перчатки.

Юная Невеста поправила складку на платье.

— Это не мои, — сказала.

— Жаль. Ну что, пошли?

Они снова устроились в поезде, опять одни в целом вагоне, друг против друга, в свете долгого заката, и если сейчас я мысленно вернусь к этому, смогу вспомнить в подробностях, несмотря на все прошедшие годы, с каким намерением я держала себя горделиво, сидела выпрямившись, даже не опираясь о спинку, хотя и боролась с неподъемной усталостью. То была гордость, но особого рода, такую порождает кровь только в юности, по ошибке сопрягая ее со слабостью. Толчки вагона мне не давали заснуть, а еще подозрение, не пролилось ли бесповоротное бесчестье, целиком и полностью за один день, в сосуд моей жизни, будто в чашку, из которой сейчас ничего не выплеснуть, разве только наклонить немного и наблюдать, как липнут к ее краям мутные подтеки стыда — я ощущала, как медленно он струится, и не знала, что думать. Если бы я могла мыслить ясно, если бы тысяча жизней ждала меня впереди, я бы, напротив, поняла, что этот странный день, исповедальный и несуразный, нес в себе урок, чтобы усвоить его, мне понадобились годы, полные заблуждений. Все подробности этого дня, все, что я делала в эти часы — слышала, говорила, видела, — учило тому, что жизнь определяется телом, остальное — следствие. Тогда я не могла в это поверить, потому что, как и все в юности, ожидала чего-то более сложного или вычурного. Но теперь я не знаю ни одной истории, моей ли, чужой, начало которой не положили бы животные движения тела — наклон, ранение, перекос, иногда блистательный жест, зачастую похабные инстинкты, пришедшие издалека. Все уже записано в них. Мысли приходят позднее, это всегда устаревшая карта, которой мы приписываем, по привычке и от усталости, кое-какую точность. Возможно, именно это Отец задумал объяснить мне жестом, по видимости, абсурдным: отвести молоденькую девушку в бордель. По прошествии лет я готова признать всю смелость, с какой он попал прямо в точку. Он хотел привести меня в место, где невозможно защититься от истины — ее неизбежно выслушаешь, деваться некуда. Он должен был сказать мне, что ткани судеб, вытканные на стане наших семейств, сплетены из нитей примитивных, животных. И что, как бы ни трудились мы, подыскивая другие объяснения, более изящные или искусственные, начало каждого из нас запечатлено в теле, означено огненными буквами — будь то неисправность сердца, мятеж бесстыдной красоты или грубая неодолимость желания. Так мы и живем в пустой надежде исправить то, что нарушило движение тела, жест постыдный или блистательный.

С последним блистательным, или постыдным, жестом, движением тела, мы умираем. Все остальное — бесполезный балет, оставшийся в памяти благодаря чудесным танцовщикам. Но я это знаю сейчас, а тогда не знала — в том поезде я ехала слишком усталой, чтобы это усвоить, или гордой, или напуганной, как знать. Сидела, выпрямив спину, больше ничего. Глядела на Отца: он вернулся в свой прежний образ человека благодушного, незаметного — сидел, сцепив руки на животе и на них уставившись. Иногда, на короткое время, взглядывал в окно. Потом опять пристально глядел на свои руки. Тот еще вид. Юная Невеста вдруг поняла, что находит этого мужчину неотразимым, просто сопоставляя то, что она о нем узнала, со старообразной фигурой, которая маячила у нее перед глазами. Впервые обнаружила поразительную ловкость, с которой Отец скрывал свою силу; иллюзии, на которые был способен, и непомерные амбиции, которым посвятил всю жизнь. Профессиональный игрок, тасующий невидимые карты. Фантастический шулер. Я узрела в нем красоту, о которой до этого дня даже не догадывалась, пусть на короткий миг. Ему нравилось одиночество в движущемся поезде и то, что они остались *вдвоем* на целый день. Ей было восемнадцать лет, она встала, уселась рядом с ним, а когда поняла, что он так и не оторвет взгляда от своих рук, положила голову ему на плечо и задремала.

Отец воспринял это как обобщающий жест, итог всего, что Юной Невесте удалось продумать по поводу открытий нынешнего дня. Этот жест даже показался ему неожиданно верным. Так что он позволил ей спать, а сам вернулся к тому, что делал раньше, стал смотреть на свои руки. Он перебрал в уме все ходы, сделанные в этот день, испытывая сложное удовлетворение генерала, который, изменив диспозицию войск на поле битвы, добился построения, более приспособленного к местности и менее уязвимого для замыслов врага. Оставалось, конечно, отладить некоторые детали, прежде всего нужно было найти Сына, который исчез, но итог этого дня больших маневров склонял его к оптимизму. Придя к такому выводу, он перестал глядеть на свои руки, уставился в окно и позволил себе предаться умственному ритуалу, к которому давно уже не прибегал за неимением времени: перечислить, одно за другим, все то, в чем он был уверен. Таких вещей у него накопилось порядочно, разного типа. Он их перепутывал, смешивал одну с другой, веселясь, как ребенок. Он оттолкнулся от мысли, которая не вызывала сомнений, что летом советуют употреблять крем для бритья с цитрусовой отдушкой. Потом пришел к убеждению, зревшему на протяжении лет, что кашемира как такового не существует, откуда следовала очевидность того, что не существует и Бога. Когда он увидел, что пора выходить, дело дошло до последнего пункта в списке, того, который был ему более других по сердцу; единственный, в котором он никогда никому не признавался; тот, в котором проявлялись самые героические его черты. Он никогда о нем не думал без того, чтобы произнести вслух:

— Я не умру ночью, я это сделаю при свете солнца.

Юная Невеста подняла голову с его плеча, возвращаясь из далеких снов.

— Вы что-то сказали?

— Нам пора выходить, синьорина.

Пока они шли по вокзалу, Юная Невеста не говорила ни слова, увязнув в паутине путаного пробуждения. Модесто их встретил и отвез домой в кабриолете, сообщая о мелких происшествиях дня с оттенком радости в голосе: в самом деле, в Семействе практиковалось, чтобы всякому возвращению, даже вполне ожидаемому, сопутствовало ликование и облегчение в манерах и жестах.

Только когда они уже вышли из кабриолета, в нескольких шагах от порога, Юная Невеста взяла Отца под руку и остановилась. Безупречный Модесто пошел вперед, не оборачиваясь, и исчез в боковой двери. Юная Невеста сжала руку Отца, не отводя взгляда от обширного, ярко освещенного фасада, готового их поглотить.

— И что теперь делать? — спросила она.

Отец нимало не смутился.

— То, что намеревались, — сказал он.

— А именно?

— Что за вопрос. Поедем на курорт, милая.

Не тогда, когда написал ее, а через несколько дней, когда, лежа на диване, ее перечитывал, я заприметил эту написанную мною фразу и стал в нее вглядываться с близкого расстояния. При желании можно было даже попробовать получше ее обкатать. Например, *Днем, при свете солнца, — вот когда я умру, —* кажется более закругленной. Или *Я хочу умереть при свете солнца, и сделаю это* тоже подойдет. Когда такое случается, я пробую прочесть фразу вслух — ведь вслух, в конечном итоге, ее произнес и Отец тоже — и вот, проговаривая, я ее услышал, и вдруг получилось так, будто я не написал ее, а получил готовой, проскользнувшей сюда из какой-то неведомой дали. Такое бывает. Звучание четкое, расположение выдержанное. *Я не умру ночью, я это сделаю при свете солнца.* Фраза исходила не от меня, она здесь стояла, и все тут: так я заметил, что в ней говорилось о чем-то таком, чему бы я сам не смог дать определение, но теперь узнавал безошибочно. Это касалось меня лично. Я прочел ее еще раз и осознал, во всей простоте, что единственное, чего мне остается желать, имея в виду неизбывность смятения, это в самом деле умереть при свете солнца, хотя *умереть*, несомненно, понятие несколько преждевременное — скажем, *исчезнуть*. Но никак не ночью, это теперь для меня ясно. При свете солнца. Я лежал на диване, твердил эту фразу и осуществлял единственный жест, который в последнее время мне удавался, со всей уверенностью в себе и хорошей способностью к самоконтролю, то есть писал книгу: но вдруг случилось так, что я уже не писал, а *жил* — чего я избегаю уже давно, или, по крайней мере, всякий раз, когда это возможно, — если *жизнью* можно назвать это стремительное возвращение в себя, ничем не предваренное, какое довелось мне испытать, когда я лежал на диване и читал вслух фразу, которую написал несколько дней назад и которая теперь представала пришедшей издалека, в убедительном свете голоса, который больше не был моим.

Я оглянулся вокруг. Вещи, порядок, полумрак. «Логово маньяка», — сказала Л. Немного преувеличивая, как всегда. И все-таки.

Возможно ли, чтобы я кончил вот так?

Время от времени — все, наверное, замечали — каждому приходит на ум: возможно ли, чтобы я кончил вот так?

Я, со своей стороны, давно уже об этом не думал. Перестал задавать себе вопросы. Когда скользишь вниз, не слишком-то это замечаешь, боль оглушает тебя, вот и все.

Но в тот момент я подумал: *Возможно ли, чтобы я кончил вот так?* — и мне стало ясно, что, каким бы ни было мое жизненное предназначение, определенно неподходящим был свет, в котором я надеялся его распознать, так же как и абсурдным ландшафт, в который я позволил ему войти, и безумной — неколебимость, какую я приберег для его ожидания. Все было неправильно.

По поводу оборота, какой принимают мои дела, я себе не позволяю суждений. Но что до антуража, тут я могу свое мнение высказать.

Я не умру ночью, я это сделаю при свете солнца.

Вот что мне хотелось высказать.

Если честно, я никогда не ожидал такого взрыва решимости, и до сих пор меня изумляет, что породила его фраза, прочитанная в книге (то, что речь идет о *моей* книге, — подробность, несомненно, довольно тягостная). Могу сказать только, что я воспринял фразу буквально — я не умру ночью, я это сделаю при свете солнца — поскольку мне уже давно не хватает сил, или воображения, чтобы представить что-либо символически, чего, без всякого сомнения, стал бы добиваться от меня Доктор (он, между прочим, еще и решил, будто я ему должен двенадцать тысяч евро), определенно подталкивая меня к тому, чтобы интерпретировать понятие *свет* как новое расположение духа, а понятие *ночь* как проекцию моих слепых и призрачных видений: муть зеленая, вот что это такое. Я принял более простое решение — поскольку, как я уже сказал, мне не хватает ни сил, ни воображения для чего-то другого — именно: поехать на море. Нет, не совсем так — не вовсе уж я без сил и без воображения, в конечном итоге. Но что правда, то правда: вместо того чтобы вообразить себе уж не знаю что, мне только и удалось вернуться к одному давнему утру и к парому, который под зимним солнцем меня перевозил на остров. Дело было на юге. Кораблик плыл лениво по спокойному морю. Если сесть на палубе с правильной стороны, солнце будет светить в лицо, но февральским утром сидеть на солнце было правильно, вот и все. Приглушенный рокот мотора успокаивал.

Он до сих пор, наверное, плавает, сказал я себе. Имея в виду паром.

Оставалось воссоздать кое-какие подробности, которые пока от меня ускользали (к примеру, что за остров?); но, разумеется, речь шла о преодолимых препятствиях, и по этой причине, с решимостью, которая и сейчас меня изумляет, я поднялся с дивана, чтобы сесть на паром, прекрасно сознавая, насколько неопределенно длинный ряд жестов следует выполнить ради перемещения с одного на другой (удивительно, напротив, как в формальной простоте написанной фразы диван и паром связаны между собой практически неразрывно: отсюда следует главенство письма над жизнью, что я не устаю повторять). Помню, я попрощался со своей квар-

тирой минут за двадцать — скорее, в общих
чертах, как с системой частичных достоверно-
стей и — бесповоротно — с организованными
потемками, где я себя похоронил. Если бы существовала идея о небытии, которое можно, и даже нужно, разрушить до основания, мы не те-
ряли бы столько времени, выстраивая стратеги-
ческую защиту против жизненных напастей.
Времени хватило на то, чтобы выбрать немногие предметы, которые я бы взял с собой, — мне
пришло на ум число одиннадцать. Значит, одиннадцать предметов — выбирать их было наслаждением. В то же самое время, в очень похожей
последовательности, Семейство, у меня в голове, плыло под парусами к отъезду на курорт,
движением широким и сплоченным, которое
потом было так приятно закреплять на письме,
направлять по четко проложенной тропке слов
в крохотной гостинице, первой по дороге на юг,
первой ночью после вечности. Поскольку следовало расположить предметы в должном порядке, я прежде всего вспомнил, что курорт для них
для всех являлся докучной привычкой, которая
выливалась в пару недель, проведенных во французских горах: точно где, не знаю, но, кажется,
уже упоминал, что обыкновение это всеми вос-
принималось как обязанность, а следовательно,
переносилось с элегантным смирением.

Чтобы свести к минимуму докуку, прибегали
к прозрачным уловкам; самая любопытная за-
ключалась в том, чтобы не собирать чемоданы,

а покупать на месте все необходимое. Единственным, кто имел баулы и упорно использовал их, был Дядя, которому нравилось таскать за собой, не прибегая к бесплодным полумерам, все свое имущество. Баулы Дядя собирал сам: поскольку он это делал во сне, процедура могла растянуться на долгие недели. Все остальные, наоборот, принимались за дело в утро отъезда, набивая предметами сомнительной необходимости маленькие сумки, которые потом нередко забывали. Кое-что оставалось неизменным: Мать, например, никогда не уезжала, не прихватив с собой подушку, открытки, которые в предыдущих путешествиях не успела отправить; мешочки с лавандой и ноты французской песенки, где не хватало последней страницы. Отец обязательно вез с собой учебник игры в шахматы; Дочь — альбом и масляные краски (по неким таинственным причинам она всегда забывала дома все тона синего и голубого). Сын, в то время, когда он еще не исчез, разбирал часы, стоявшие на лестнице, и вез с собой детали, предполагая в каникулы снова их собрать. Общая сумма подобного скопления предметов давала умеренное количество багажа и некоторый общий итог сожалений: часто оказывалось необходимым оставить дома драгоценные фрагменты всеми разделяемого безумия.

Домом занимался Модесто. В этом тоже хранили верность протоколу, разумность которого, если таковая существовала, коренилась в глубоком, уже необъяснимом прошлом. Вся мебель покрывалась льняными простынями, кладовки набивались пригодными для хранения съестными припасами, закрывались ставни на всех окнах, кроме южной стороны; сворачивались ковры; картины снимались со стен и складывались на пол (этому была какая-то причина, но давно позабылась); часы останавливались, во все вазы ставились желтые цветы, накрывался стол для завтрака на двадцать пять персон; снимались колеса со всего, что могло катиться, и выбрасывалась вся одежда, которую за последний год ни разу не надевали. С особым тщанием исполнялся бесценный ритуал, состоявший в том, чтобы оставить, рассеять по дому некие прерванные жесты: вроде твердой гарантии того, что каждый вернется, дабы завершить движение. Поэтому комнаты, после отъезда Семейства, предлагали внимательному взгляду целую россыпь действий, брошенных на середине: намыленная кисточка для бритья; партия в карты, брошенная на самом пике азарта; тазы, полные воды; наполовину очищенные фрукты; недопитая чашка чая. На пюпитре фортепьяно обычно стояли ноты, раскрытые на предпоследней странице, а на письменном столе Матери всегда оставалось недописанное письмо. В кухне на стене висел список покупок, на первый взгляд крайне срочных; в ящиках валялись незаконченными прелестные вязанья крючком, а на бильярдном столе оставалась брошенной прекрасная комбинация для великолепного удара, почему-то отложенного. В воздухе, если бы возможно было их различить, витали наполовину продуманные мысли, незавершенные воспоминания; иллюзии, не доведенные до совершенства, и стихотворения без последней строки: предполагалось, будто сама судьба могла бы все это увидеть. Картина завершалась тем, что в самый момент прощания добрая доля багажа забывалась в коридорах — жест тягостный, но считавшийся окончательным. В свете подобной самоотверженности сама мысль о том, что кто-то рискует не вернуться домой из поездки, казалась оскорбительной.

Такое тщание, такие заботы, несомненно, требовали времени. И Семейство начинало готовиться к отъезду заранее, ненавязчиво подчиняя ежедневный ход вещей цели, обозначенной как ДЕНЬ ОТЪЕЗДА. На практике это означало, что каждый занимался точно тем же, чем прежде, но придавая каждому жесту сугубую бренность, порождаемую надвигающимся прощанием, и убирая из мыслей малейший намек на драматизм, бесполезный в преддверии близящейся духовной амнистии. Только Дядя, как уже говорилось, затевал широкомасштабный труд (собирал баулы). Для остальных неотвратимое приближение ДНЯ ОТЪЕЗДА становилось ощутимым благодаря лихорадочной деятельности прислуги, этого спрута, голову которого представлял Модесто, а щупальца — слуги помельче рангом. Согласно распоряжению, все проделывалось с великим изяществом и без ненужных колебаний. Поскольку, например, согласно необъяснимому обыкновению, все подушки в доме собирались и складывались в один шкаф, вы в крайнем случае видели, как из-под задницы вытаскивается, с определенным шиком, тонкая думочка, из тех, что подкладывались на кожаные сиденья стульев, расставленных вокруг стола для завтраков: коснись это тебя, ты даже не прервешь беседы, просто чуть-чуть приподнимешься, будто по внезапной и срочной необходимости выпустить газы, и позволишь слугам исполнить их долг. Таким же образом у тебя из-под носа могли увести сахарницу, ботинки или, в особо драматических случаях, целые помещения: ты обнаруживал вдруг, что проход по лестницам закрыт. Так, пока его обитатели продолжали откладывать срок ждущей их перемены, помещая ДЕНЬ ОТЪЕЗДА в ближайшее будущее неопределенных очертаний, Дом, напротив того, неудержимо двигался к цели, отчего образовывалось нечто вроде двух скоростей — для духа одна, для предметов другая — и покойное течение дней раскалывалось, допуская сюрреалистические сдвиги. Люди, не моргнув глазом, сидели за столами, которых больше не было на месте; гости опаздывали на трапезу, которая еще и не начиналась;

зеркала, сдвинутые с места, отражали то, что происходило несколько часов назад; звуки, оставшиеся в воздухе, осиротевшие, потерявшие свой источник, блуждали по комнатам, пока Модесто не умудрялся затолкать их, временно, в ящики, которые помечал потом крестиком красного лака (по возвращении их часто забывали освободить, предпочитая делать это, шутки ради, во время Карнавала: иногда в присутствии друзей и знакомых, которые с опозданием подбирали какую-нибудь фразу или звук, исходящий из тела, ими же и потерянные прошлым летом. Адвокату Сквинци, например, удалось отыскать свою прошлогоднюю отрыжку в ящике, где, на удивление, он нашел также истерический смех супруги и начало градобития, из-за которого в свое время взлетели до небес цены на персики. Дон Джустелли, душа-человек, с которым мне повезло знаться и дружить, признался мне однажды, что охотно присутствовал при открытии ящиков, чтобы пополнить запас ответов. «Знаете, их там целая уйма, в ящиках, — сказал он мне. — Я теперь убедился, — пояснил он, — что в период, предшествующий ДНЮ ОТЪЕЗДА, многие ответы в этом доме теряются во время беседы, поскольку на них обращают меньше внимания (иногда никакого внимания), — так они и пропадают. В воздухе они оставались, это все знали; а потом попадали в пресловутые ящики. Обычно, — добавлял дон Джустелли, — к фев-

ралю у меня заканчивается набор ответов, так
что вы понимаете, насколько удобно пойти и пополнить запас из этих самых ящиков, к тому же
не потратив ни гроша. Все ответы превосходно-
го качества», — подчеркивал он. В самом деле,
когда он соизволил мне иные продемонстриро-
вать, я вынужден был признать, что их формаль-
ный уровень был почти всегда выше среднего.
Встречались среди них блистательно синтетиче-
ские — *Никогда, навеки*; попадались и наделен-
ные неким музыкальным изяществом — *Не из
мести, но, может быть, от изумления, а скорее
всего, случайно*. Правда, я лично находил такие
ответы *душераздирающими*. Сам факт, что их
уже нельзя было связать с каким-либо вопросом, был со всей очевидностью нестерпим. И не
только у меня возникала эта проблема. Несколько лет назад младшая дочь Баллардов, в ту пору
двадцати лет, явилась на открытие ящиков, чтобы вновь обрести гитарный звон, заставивший
ее мечтать прошлым летом, но так и не смогла
его найти, ибо увязла, прокладывая себе путь
между звуками, в некоем ответе, который и унес-
ла домой вместо гитарного звона, предугадывая
с абсолютной уверенностью, что, если она не
найдет вопрос, на который дан был этот ответ,
у нее попросту лопнет голова. Следующие тринадцать месяцев она без устали опрашивала десятки человек с единственной яростной целью:
найти тот самый вопрос. Тем временем ответ,

угнездившись у нее в мозгу, наливался блеском и тайной. На четырнадцатый месяц она начала писать стихи, а на шестнадцатый у нее лопнула голова. Сраженный горем, ее отец пожелал понять, что ее погубило. Любопытно, думал он, почему такую умную девушку подкосило исчезновение вопроса, но не жестокость ответа. Поскольку то был человек в высшей степени практичный и блистательно здравомыслящий, он, не поддаваясь горю, отправился к Модесто и спросил, не слышал ли тот когда-нибудь вот такой ответ.

— Конечно слышал, — сказал Модесто.

— Тогда, наверное, вы помните и вопрос? — приступил к нему граф.

— Естественно, — проговорил Модесто.

На самом деле ни черта он не помнил, но был человеком чувствительным, прочел много книг и искренне желал помочь отцу той девушки.

— *Сколько мне еще ждать, пока я узнаю причины вашего счастья и цель вашего отчаяния?*

Граф поблагодарил, дал в меру на чай и вернулся домой сообщить новость. Дочь выслушала столь давно разыскиваемый вопрос с видимым спокойствием. На следующий день она удалилась в монастырь близ Базеля. (Она же написала потом выдающийся *Учебник для спящих юных дев*, который, как известно, пользовался огромным успехом в предвоенные годы. Подписанный *nom de plume*[1] Иродиада, он предлагал ежедневные духовные упражнения для молодых девушек, лишенных подобающего интеллектуального руководства или какой бы то ни было моральной поддержки. Насколько я помню, там значились ежедневные предписания любопытного свойства, но легкие в исполнении. Типа: употреблять в пищу только желтое; бегать вместо того, чтобы ходить; всегда говорить «да»; разговаривать с животными, спать голышом, прикидываться беременной; двигаться как при замедленной съемке; пить каждые три минуты, надевать чужие башмаки, думать вслух, обриться наголо, квохтать, как фриульская курица. Желательно, чтобы каждое упражнение выполнялось по двенадцать часов. Согласно замыслу автора, эти особые свершения должны были пробудить в девушках умение властвовать собой и радость от обретения некоторой независимости мысли. Не знаю, насколько результаты соответствовали ожиданиям. Зато прекрасно помню, что автор книги вскоре после того, как добилась успеха, родила близнецов, которых назвала Первый и Второй, уверяя, будто зачала их через посредство архангела Михаила. (Очевидно, странички, подобные этим, покажутся издателю, который займется ими через несколько месяцев, совершенно ненужными и, к сожалению, никак не

---

[1] Псевдонимом (*фр.*).

способствующими ходу рассказа. Как всегда вежливо, он меня попросит выбросить их. Я и сейчас знаю, что не сделаю этого, но покамест могу признать, что правота может быть как на его, так и на моей стороне. Все дело в том, что одни пишут книги, другие их читают; одному Богу известно, кому удается лучше понять в них хоть что-нибудь. Душа какого-то края открывается восхищению зрелого человека, который взирает на него впервые, или того, кто родился там? Неизвестно. Все, что узнал я по этому поводу, можно поведать в нескольких строках. Пишутся они так, как занимаются любовью с женщиной, но в ночи без проблеска света, в абсолютной тьме, то есть вовсе не видя ее. После, на следующий вечер, первый попавшийся поведет ее ужинать, или танцевать, или на скачки, но с первой же минуты понимая, что не сможет даже коснуться ее, не то что уложить в постель. Волшебство редко получается — какой-то детали вечно не хватает. Весь в сомнениях, я склонен доверяться моей слепоте и считать добротной осязательную память кожи. В честь этого я теперь закрою четыре скобки и сделаю это уверенно, умиротворенно, убаюканный провинциальным поездом, который везет меня на юг.)))) Voila[1].

Само собой разумеется, что в таком водовороте дел мало-помалу стало ослабевать внима-

---

[1] Вот так *(фр.)*.

ние к английским посылкам, которые, со своей стороны, поступали все реже и реже, по нисходящей, посылкам, чьи каденции, сказать по чести, никто не мог истолковать. Правда, прибыла пинта ирландского пива, но эпизодическим образом, так что пришлось дожидаться добрую неделю, прежде чем явился пакет, к тому же весьма скромных размеров и с неясным содержимым: когда его распечатали, обнаружилась книга, вдобавок потрепанная. Немногие заметили прибытие посылки, да и тут же забыли о ней, но только не Юная Невеста, которая нашла способ незаметно забрать книгу и тайно хранила ее у себя. Ведь книга была не абы какая, а «Дон Кихот».

Несколько дней она прятала книгу у себя в комнате и в своих мыслях. Постоянно спрашивала себя, не преувеличивает ли она, не принимает ли игру случая за послание, ей предназначенное. С пристальным вниманием прислушивалась к своему сердцу. Потом попросила Отца о встрече и, получив согласие, явилась к нему в кабинет в семь часов вечера, когда дневные занятия завершились и все уже предвещало традиционный вечерний разброд. Она хорошо оделась. Говорила мягко, но осталась стоять и каждое слово произносила с великой уверенностью. Она попросила разрешения не ехать на курорт, а остаться в Доме и ждать. «Я уверена, — сказала, — что Сын вот-вот вернется».

Отец поднял взгляд от каких-то бумаг, которые он складывал по порядку, и уставился на нее в изумлении.

— Вы хотите остаться одна в этом доме? — спросил он.

— Да.

Отец улыбнулся.

— Никто не остается в этом доме, когда мы едем на курорт, — произнес он безмятежно.

Но Юная Невеста не пошевелилась, и Отец счел нужным прибегнуть к неопровержимым аргументам.

— Даже Модесто не остается в этом доме, когда мы едем на курорт, — сказал он.

Объективно говоря, против такого аргумента нельзя было возразить, однако же на Юную Невесту он, по всей видимости, не произвел особого впечатления.

— Дело в том, что Сын вот-вот вернется, — повторила она.

— В самом деле?

— Думаю, да.

— Откуда вы знаете?

— Я не знаю. Я чувствую.

— Чувствовать мало, милая.

— Но иногда чувствовать — это все, синьор.

Отец вглядывался в нее. Не впервые он наблюдал в ней эту мягкую дерзость, и каждый раз такая манера невольно его очаровывала. Поведение неуместное, но проглядывало в нем обещание какой-то усердной силы, благодаря которой можно прожить с поднятой головой какую угодно жизнь. Поэтому, видя, как упорно Юная Невеста стоит на своем, он даже задумался на мгновение, не лучше ли будет сказать ей все: сообщить, что Сын исчез, и признаться, что сам он понятия не имеет, что со всем этим делать. Но его остановило сомнение, явившееся из ниоткуда: вдруг там, где потерпел крах его рациональный подход к проблеме, эта девушка, с ее бесконечной способностью прилагать усилия, добьется успеха. В миг странного просветления Отец подумал, что Сын, возможно, и вправду вернется, если только он позволит девушке ждать его *по-настоящему*.

— Никто никогда не оставался в этом доме, когда мы едем на курорт, — повторил он скорее для самого себя, чем для Юной Невесты.

— Это так важно?

— Думаю, да.

— Почему?

— Повторяя жесты, мы держим мир: это как вести ребенка за руку, чтобы он не потерялся.

— Он, может, и не потеряется. Может, оставшись один, набегается всласть и будет счастлив.

— Я бы не слишком на это надеялся.

— И потом, не кажется ли вам, что он все равно потеряется, рано или поздно?

Отец подумал о Сыне, вспомнил, как тысячу раз водил его за руку.

— Возможно, — согласился он.

— Почему вы не доверяете мне?

— Потому, что вам восемнадцать лет, синьорина.

— И что с того?

— Вам предстоит научиться массе вещей, прежде, нежели можно будет предположить, что вы правы.

— Вы шутите, да?

— Я вполне серьезно.

— Вам было двадцать лет, когда вы взяли жену и сына, которых не выбирали. Кто-нибудь говорил, будто вы до этого не доросли?

Отец, изумленный, сделал в воздухе неопределенный жест.

— Это другая история, — возразил он.

— Вы так думаете?

Отец сделал еще один не поддающийся разгадке жест.

— Нет, вы так не думаете, — продолжила Юная Невеста. — Вы знаете, что все мы погружены в одну-единственную историю, которая так давно началась и до сих пор не завершилась.

— Сядьте, пожалуйста, синьорина, я волнуюсь, глядя, как вы стоите.

Он поднес руку к сердцу.

Юная Невеста села напротив него. Заговорила самым спокойным, самым ласковым голосом, какой только могла в себе отыскать.

— Вы не верите, что я смогу прожить одна в этом доме. Но вы понятия не имеете, каким большим и уединенным был тот дом в Аргентине. Меня там оставляли на целые дни. Я не боялась тогда и не испугаюсь сейчас, поверьте. Я всего лишь молодая девушка, но дважды пересекла океан, в последний раз одна, направляясь сюда и зная, что, поступая так, убиваю своего отца. Я кажусь молодой девушкой, но уже давно не такая.

— Знаю, — кивнул Отец.

— Доверьтесь мне.

— Проблема не в этом.

— Тогда в чем?

— Я не привык верить в действенность иррационального.

— Простите, как?

— Вы хотите остаться здесь, поскольку *чувствуете*, что Сын приедет, так?

— Да.

— Я не привык принимать решения на основании того, что *чувствуют*.

— Может быть, я неправильно выбрала слово.

— Выберите получше.

— Я знаю. *Знаю*, что он вернется.

— На основании чего?

— Вы думаете, будто знаете Сына?

— Самую малость: насколько вообще допустимо знать сыновей. Они — затонувшие материки, и мы видим только то, что выступает над поверхностью воды.

— Но мне он не сын, а возлюбленный. До-пускаете ли вы, что я могу знать о нем что-то еще, знать больше? Я говорю: *знать*, не *чувство-вать*.

— Допускаю.

— Разве этого не достаточно?

Перед Отцом опять, словно молния, блеснуло сомнение: вдруг, если позволить девушке ждать *по-настоящему*, Сын вернется.

Он закрыл глаза, оперся локтями о письмен-ный стол и поднес ладони к лицу. Кончиками пальцев провел по морщинам на лбу. Долго си-дел так. Юная Невеста не проронила ни слова: ждала. Спрашивала себя, что еще можно доба-вить, чтобы склонить волю этого человека. Да-же задумалась на мгновение, не заговорить ли о «Дон Кихоте», но сразу поняла, что это лишь усложнит дело. Больше сказать было нечего, оставалось только ждать.

Отец отнял руки от лица, уселся на стуле по-удобнее, оперся о спинку.

— Как вам, несомненно, сообщили в тот день в городе, — проговорил он, — уже много лет я нахожу в себе силы посвящать себя задаче, которую для себя избрал и которую со временем научился любить. Я прилагаю усилия к тому, чтобы поддерживать мир в порядке, если можно так выразиться. Я не говорю, разумеется, о це-лом мире, но только о той маленькой части ми-ра, которая назначена мне.

Отец говорил очень спокойно, с великим тщанием подбирая слова.

— Это непростая задача, — заключил он.

Взял со стола нож для разрезания бумаги и стал вертеть его в пальцах.

— В последнее время я убедился, что завершу ее, лишь осуществив жест, который смогу контролировать только частично; подробностями, к сожалению, придется пренебречь.

Он поднял взгляд на Юную Невесту.

— Этот жест имеет отношение к смерти, — произнес он.

Юная Невеста не шелохнулась.

— И я часто спрашиваю себя, окажусь ли я на высоте положения, — продолжал Отец. — Я также должен учитывать то, что по причинам, которым не могу дать убедительных объяснений, я встречаю и все прочие, и это испытание в совершенном одиночестве или по меньшей мере не полагаясь на присутствие подходящего человека рядом. Такое ведь может случиться.

Юная Невеста кивнула.

— Поэтому я спрашиваю себя, не слишком ли смело будет с моей стороны решиться попросить вас об одолжении.

Юная Невеста, не отводя взгляда, чуть-чуть приподняла подбородок.

— В тот день, когда я окажусь перед лицом настоятельной необходимости осуществить этот жест, не окажете ли вы любезность побыть со мной рядом?

Он это проговорил холодно, как мог бы объявить цену какой-нибудь ткани.

— Возможно даже, — добавил он, — что, когда придет названный день, вас уже не будет в этом доме; разумно также предполагать, что я к тому времени свыкнусь с отсутствием каких-либо вестей о вас. Тем не менее я сумею вас найти и велю позвать. Я не потребую ничего особенного, достаточно, чтобы вы были рядом, чтобы я мог беседовать с вами, слушать вас. Знаю: либо придется поспешить, либо впереди будет слишком много времени: обещаете ли вы помочь мне правильно провести те часы или минуты?

Юная Невеста расхохоталась:

— Вы предлагаете мне сделку.

— Да.

— Вы меня оставите одну в этом доме, если я пообещаю прийти к вам в тот день.

— Именно так.

Юная Невеста рассмеялась снова, но внезапно мелькнувшая мысль настроила ее на серьезный лад.

— Почему я? — спросила девушка.

— Не знаю. Но *чувствую*, что так будет правильно.

Юная Невеста с улыбкой покачала головой, вспомнив, что никто не тасует карты лучше шулера.

— Договорились, — сказала она.

Отец слегка поклонился.

— Договорились, — повторила Юная Невеста.

— Да, — сказал Отец.

Потом встал, выбрался из-за стола, подошел к двери и, прежде чем открыть ее, обернулся:

— Модесто этого не оценит, — сказал он.

— Он тоже может остаться, уверена, он будет счастлив.

— Нет, это не обсуждается. Хотите остаться — оставайтесь одна.

— Договорились.

— Имеете вы хоть малейшее понятие, чем будете заниматься все это время?

— Конечно. Ждать Сына.

— Разумеется, простите меня.

Он застыл на месте, сам не зная почему. Держался за ручку двери, но не двигался с места.

— Не бойтесь, он вернется, — сказала Юная Невеста.

Традиция требовала отправляться на двух квохчущих автомобилях. Ничего особенно элегантного, но торжественность момента обязывала к некоторым поползновениям на *grandeur*[1]. Модесто наблюдал за отъездом с порога, да и сам уже был готов отбыть восвояси, с чемоданом, который стоял рядом: но, как всякий капи-

---

[1] Величие *(фр.)*.

тан, он полагал, что должен покинуть корабль последним. В этом году на крыльце стояла и Юная Невеста: о таком изменении протокола Отец кратко поведал во время одного из последних завтраков, а Модесто принял данный факт без особого энтузиазма. То, что это, по всей видимости, служит прелюдией к возвращению Сына, помогло примириться с досадным новшеством.

Так они и стояли на пороге, чинно-благородно, он и Юная Невеста, когда оба автомобиля пустились в путь: моторы затарахтели, руки взметнулись в воздух, раздались разнообразные вскрики. Машины были красивые, кремового цвета. Проехав с десяток метров, они остановились. Дали задний ход и несколько неуклюже вернулись вспять. Мать выскочила с удивительной ловкостью и побежала к дому. Пробегая мимо Модесто и Юной Невесты, пробормотала три слова:

— Забыла одну вещь.

И скрылась в доме. Через несколько минут вышла и, даже не попрощавшись со стоявшими, бросилась к машине и скрылась внутри. Женщина явно испытывала облегчение.

Так автомобили снова тронулись, моторы затарахтели, как в первый раз, руки замахали энергичнее, прощаясь окончательно, и голоса зазвучали веселей. Проехав с десяток метров, остановились. Снова пришлось дать задний ход. На этот раз Мать вылезла, явно нервничая. Решительным шагом преодолела расстояние до входа и исчезла в доме, пробормотав четыре слова:

— Забыла еще одну вещь.

Юная Невеста повернулась к Модесто, вперив в него вопросительный взгляд.

Модесто прочистил горло, дважды кашлянув в досконально выверенных пропорциях: один раз коротко, другой — длинно. Юная Невеста не настолько продвинулась в изучении этой клинописи, но смутно ощутила, что все под контролем, и успокоилась.

Мать снова села в машину, моторы завелись, и во взрыве шумного веселья отъезжающие распрощались, окончательно и без сожалений. На этот раз машины проехали несколько лишних метров перед тем, как остановиться. Задний ход дали сноровисто, с приобретенным-то опытом.

Мать вернулась в дом, напевая, полностью владея собой. Казалось, она точно знала, чего хотела. Но, вступив на порог, туда, где стояли Модесто и Юная Невеста, она вдруг передумала. Остановилась. Казалось, ей пришла на ум какая-то запоздалая мысль. Пожав плечами, она произнесла три слова:

— Да нет, ладно.

Потом развернулась и, по-прежнему напевая, направилась к автомобилям.

— Сколько раз она это делает? — спросила Юная Невеста серьезным тоном.

— Обычно четыре, — невозмутимо ответил Модесто.

Поэтому ее не удивило, когда машины тронулись, остановились, проехав сколько-то метров, вернулись назад и извергли Мать, которая на этот раз шла по тропинке к дому, явно взбешенная, чеканя шаг и беспрерывно ругаясь вполголоса; из длинной литании проклятий Юная Невеста на ходу уловила неясный фрагмент:

— Пусть они все засрутся.

Или *споются*, было не разобрать.

Из дома Мать появилась, пробыв там дольше, чем в предыдущие разы, сжимая в руке серебряный прибор и потрясая им в воздухе. Она казалась не менее взбешенной. Когда она проходила мимо, Юная Невеста определила, что литания повернула на французский язык. Девушке показалось, будто она явственно расслышала слово *connard*[1].

Но может быть, *moutarde*[2], так сразу не разберешь.

Поскольку Модесто поднял руку в знак прощания, Юная Невеста поняла, что церемония близится к завершению, и с искренней радостью, ну, может быть, с капелькой сожаления, тоже стала прощаться, замахала рукой, встав на цыпочки. Девушка видела, как машины удаляются, в облаке пыли и эмоций, и в какой-то момент засомневалась, не слишком ли много она берет на себя. Потом обе машины остановились.

---

[1] Мудак *(фр.)*.
[2] Горчица *(фр.)*.

— Ох нет, — вырвалось у нее.

Но на этот раз не был дан задний ход и вовсе не Мать соскочила с подножки. В клубах пыли было видно, как бежит к дому Дочь, выворачивая ногу, но беспечная, решительная, даже красивая в этой своей чуть ли не ребяческой спешке. Она остановилась перед Юной Невестой.

— Ты ведь не удерешь, правда? — спросила уверенным тоном.

— Я и не думаю удирать, — изумилась Юная Невеста.

— Вот именно: договоримся, что ты не удерешь.

Потом она подошла ближе и обняла Юную Невесту.

Так они стояли несколько мгновений.

На обратном пути к машинам Дочь уже не так спешила. Ковыляла, как всегда, но совершенно спокойная. Села в машину, ни разу не обернувшись.

И вот они исчезли за ближайшим поворотом и на этот раз на самом деле уехали.

Модесто подождал, пока насмешливый хохот двух автомобилей не затих в полях, а потом, в непогрешимой тишине небытия, слегка вздохнул и поднял чемодан.

— Я вам оставил три книги, спрятал их в туалете. Три текста, которые пользуются некоторой известностью.

— Неужели?

Алессандро Барикко

— Как я вам говорил, в кладовке полно продуктов, довольствуйтесь холодными блюдами и не прикасайтесь к запасам вина, разве что в случае крайней необходимости.

Юная Невеста напряглась, пытаясь представить себе, что это может быть за случай крайней необходимости.

— Оставляю вам мой адрес в городе, но не поймите превратно. Я вам оставляю его только потому, что если Сын в самом деле приедет, ему могут понадобиться мои услуги.

Юная Невеста взяла листок, сложенный вдвое, который Модесто протянул ей.

— Думаю, это все, — заключил дворецкий.

Модесто решил, что с этой самой минуты начался его отпуск, поэтому удалился, не отступив предварительно на три шага назад, как он это проделывал, исполняя свой коронный номер. Ограничился легким, едва обозначенным поклоном.

Едва дворецкий успел отойти на несколько шагов, как Юная Невеста его окликнула:

— Модесто.

— Да?

— Вас не тяготит то, что вы всегда и во всем должны являть собой совершенство?

— Нет, напротив. Это избавляет меня от необходимости направлять мои жесты к каким-то иным целям.

— То есть?

— Я не должен спрашивать себя каждый день, зачем я живу.

— А-а.

— Это утешает.

— Могу себе вообразить.

— Есть еще вопросы?

— Да, один.

— Давайте.

— Что вы делаете, когда они уезжают и запирают дом?

— Напиваюсь, — ответил Модесто с неожиданной готовностью, искренне и беспечно.

— Целых две недели?

— Да, каждый день, целых две недели.

— И где?

— Есть один человек, в городе, который заботится обо мне.

— Могу я взять на себя смелость спросить, что это за человек?

— Один мужчина, очень симпатичный. Мужчина, которого я любил всю жизнь.

— А-а.

— У него семья. Но есть договоренность, что эти пятнадцать дней он проводит со мной.

— Очень удобно.

— Не без того.

— Значит, вы не останетесь один, в городе.

— Нет.

— Я рада.

— Благодарю.

Они молча глядели друг на друга.

— Никто об этом не знает, — сказал Модесто.

— Разумеется, — согласилась Юная Невеста.

Потом развела руки в стороны, как будто хотела обнять его или даже поцеловать, что-то в этом роде.

Он понял и был ей благодарен за сдержанность.

Потом пошел потихоньку, чуть сгорбившись, и скоро скрылся из виду.

Юная Невеста вошла в дом и закрыла за собой дверь.

В том году лето выдалось знойное. Горизонты покрывались испариной трепещущих снов. Одежда прилипала к коже. Животные еле влачились, беспамятные. Все дышали с трудом.

Еще хуже было в доме, который Юная Невеста держала закрытым, чтобы он казался покинутым. Воздух, ленивый, застаивался, впадал в некую влажную летаргию. Даже мухи — обычно, как все замечают, способные проявлять необъяснимый оптимизм, — казались сбитыми с толку. Юная Невеста всего этого не замечала. Каким-то образом ей было даже приятно: она расхаживала не спеша, и кожа ее блестела от пота, а ступни приникали к прохладным каменным плитам. Поскольку никто не мог ее видеть, она часто ходила по комнатам голая, открывая для себя странные ощущения. Спала она не в своей постели, но то тут, то там, по всему дому. Ей пришло в голову опробовать места, где она обычно видела спящим Дядю, и стала обживать их одно за другим, во сне. Когда ложилась голая, испытывала приятное волнение. Никакой распорядок не соблюдался: она решила проводить дни, согласуясь с неодолимостью желаний и с антисептической геометрией потребностей. То есть она спала, когда хотелось спать, ела, когда хотелось есть. Но не нужно думать, будто она от этого одичала. Все эти дни она тщательно следила за собой — ведь она ждала мужчину. То и дело расчесывала волосы, много времени проводила перед зеркалом, часами лежала в ванне. Раз в день одевалась со всевозможной элегантностью, в платья Дочери или Матери, и во всем блеске наимоднейших нарядов садилась читать в большом зале. Время от времени ее угнетало одиночество или накатывала неутолимая тоска, и тогда она выбирала в доме уголок, где она видела или переживала что-то замечательное, и забивалась туда. Раздвигала ноги и ласкала себя. Словно по волшебству, все приходило в норму. Странное ощущение — трогать себя, сидя в кресле, с которого Отец объявил, что хочет умереть рядом с ней. Замечательно было также заниматься этим на мраморном полу часовни. Проголодавшись, она брала что-нибудь из кладовки и усаживалась за большой стол для завтраков. Как уже говорилось, существовал обычай оставлять двадцать пять приборов, безупречно разложенных, будто с минуты на минуту в зал ворвется орда гостей. Юная Невеста решила, что будет каждый раз занимать одно из этих мест. Поев, убирала за собой, мыла и протирала посуду, а на столе вместо исчезнувшего прибора оставалось пустое место. Так ее трапезы напоминали медленное кровотечение: стол мало-помалу терял смысл и цель, неуклонно лишаясь драгоценных своих украшений: на смену им приходила ослепительная белизна скатерти, голой.

Однажды посреди сна, которого она вовсе не искала, ее пробудила внезапная уверенность в том, что ждать мужчину в одиночестве, в этом доме — жест трагически бесполезный и смешной. Она спала голая на ковре, который разложила в зале перед дверью. Стала искать, во что завернуться, потому что вдруг озябла. Сдернула с ближайшего кресла простыню, его закрывавшую. Совершая ошибку, мысленно обратилась вспять, к событиям своей жизни, пытаясь отыскать что-нибудь, что остановило бы это странное, внезапное падение в пустоту. Стало только хуже. Все ей казалось неправильным или ужасным. Ненормальное Семейство, гротескное посещение борделя; бессмысленные фразы, которые она произносила с прямой спиной; занудливый Модесто, сумасшедший Отец, больная Мать, эти гнусные места, отвратительная кончина ее отца, отчаянное положение братьев, ее пропавшая молодость. С ясностью, которая бывает только во сне, она поняла, что у нее больше ничего нет, она недостаточно красива, чтобы спастись, она убила своего отца, а Семейство мало-помалу крадет у нее невинность.

Неужели этим все и закончится? — в страхе спросила она себя.

Мне всего восемнадцать лет, — подумала с ужасом.

Тогда, чтобы не умереть, девушка укрылась там, где, она знала, проходила последняя линия сопротивления краху. Она заставила себя думать о Сыне. *Думать*, однако, не то слово, слишком слабое, чтобы определить действие довольно сложное, как она по опыту знала. Три года молчания и разлуки преодолеть нелегко. Словно осадочная порода, накопилось такое расстояние, что Сын давно уже не был для Юной Невесты ни мыслью, легко уловимой, ни воспоминанием, ни чувством. Он превратился в *место*. Некий анклав среди ландшафта ее чувств, в самой глубине, где не всегда удавалось его отыскать. Часто она отправлялась в путь, чтобы достигнуть его, но по дороге терялась. Ей было бы проще, имей она какое-либо физическое желание, за которое можно было бы уцепиться, карабкаясь на стены забвения. Но влечение к Сыну — его губам, рукам, коже — было не так-то просто восстановить. Девушка могла явственно вызвать в памяти миги, когда она желала своего жениха, даже до полного изнеможения, но теперь, вглядываясь в них, она будто бы оказывалась в комнате, к некрашеным стенам которой прикреплены листочки с названиями красок: индиго, красный венецианский, желтый песочный, бирюзовый. Нехорошо признаваться в таких вещах, но что поделаешь. Мало того, обстоятельства сложились так, что она познала другие наслаждения, с другими людьми, другими телами: чтобы совсем стереть воспоминания о Сыне, этого не хватило, но они определенно переместились в какую-то древнюю историю, где все неизбежно отдавало мифом и литературой. Поэтому для Юной Невесты идти по следам физического желания редко становилось наилучшим способом вновь обрести дорогу, ведущую к месту, где укрылась ее любовь. Она все больше предпочитала выискивать в памяти красоту отдельных фраз или жестов — красоту, которой Сын владел безраздельно. И девушка находила ее нерушимой, в памяти. На какой-то миг, казалось, воскресало очарование Сына, и она вновь оказывалась в той самой точке, из которой он отправился в путь. Но и это было не более чем иллюзией. Она вновь созерцала чудесные драгоценности, все еще сияющие в футлярах, но вдалеке, недоступные для прикосновения, недостижимые для сердца. Так сладость восхищения смешивалась с болью от окончательной потери, и Сын совсем отдалялся, и приблизиться к нему уже было никак нельзя. Чтобы на самом деле не потерять его, Юной Невесте пришлось усвоить, что в действительности никакого из качеств Сына — ни единой детали, ни одного чуда — уже не достаточно, чтобы заполнить бездну отсутствия, ибо никто, как бы его ни любили, не может в одиночку противостоять сокрушительной силе разлуки. Вот что Юная Невеста поняла: только думая о них двоих, неразлучных, ей удавалось углубиться в себя и достигнуть того места, где, невредимая, по-прежнему обитала ее любовь. Она возвращалась тогда к определенным расположениям духа, к определенным способам самоощущения, которые все еще хорошо помнила. Она думала о них двоих, неразлучных, и могла вновь ощутить определенную теплоту, или уловить определенные оттенки, или даже расслышать определенный род тишины. Такой вот особенный свет. Тогда ей удавалось вновь обрести то, что она искала, четкое ощущение того, что существует место, куда не допускается остальной мир, и оно совпадает с периметром их двух тел, вычерченным по памяти о тех временах, когда они были неразлучны, и потому неприступным для любой ненормальности. Если получалось добиться такого ощущения, все опять становилось безобидным. И крушение всех окружающих жизней, включая ее собственную, уже не угрожало ее счастью, а только создавало некоторые препятствия, благодаря которым еще более необходимым и тайным оказывалось гнездышко, ею и Сыном свитое во время любви. Они вдвоем служили доказательством теоремы, опровергавшей мир, и, когда ей удавалось вернуться к такому убеждению, все страхи рассеивались и новая, сладостная уверенность овладевала ею. И не было в мире ничего прекраснее.

Лежа на ковре, скрючившись под пыльной простыней, именно этот путь проделала Юная Невеста, чтобы спасти свою жизнь.

Так, она целиком и полностью располагала всей своей любовью, когда два дня спустя, сидя за столом, где осталось девять приборов, и принявшись за истребление очередного, услышала далекий рокот автомобиля, сначала неясный, потом все более отчетливый, — услышала, как машина подъехала к дому, затормозила, остановилась. Девушка вскочила, оставив все как есть на столе, и побежала к себе в комнату приводить себя в порядок. Она давно выбрала платье для такого случая. Надела его. Расчесала волосы и подумала, что Сын никогда не видел ее такой красивой. Она не боялась, не нервничала, не задавалась вопросами. Услышала, как снова завелся мотор и машина отъехала. Спустилась по лестнице, прошла по дому босиком, твердым шагом. Дойдя до входной двери, расправила плечи, как учила Мать. Потом открыла дверь и вышла.

На площадке она увидела некоторое количество баулов, брошенных прямо на землю. Баулы были знакомые. На самом большом — чудище черной кожи с полосками на одном боку — сидел Дядя, в той же одежде, в какой отправлялся в путь. Он спал. Юная Невеста подошла ближе.

— Что-нибудь случилось?

Поскольку Дядя продолжал спать, она уселась рядом. Заметила, что спит он с полуоткрытыми глазами и время от времени его пробирает дрожь. Пощупала лоб. Лоб пылал.

— Вам нехорошо, — сказала Юная Невеста.

Дядя открыл глаза и уставился на нее, будто пытаясь что-то понять.

— Какое счастье встретить вас здесь, синьорина, — проговорил он.

Юная Невеста покачала головой:

— Вам нехорошо.

— Правда, — подтвердил Дядя. — Вас не слишком затруднит оказать мне пару услуг? — спросил он.

— Нет, — отозвалась Юная Невеста.

— Тогда будьте так любезны наполнить ванну очень горячей водой. Еще вы должны открыть желтый баул, тот, что поменьше, и найти там запечатанную бутылку с белым порошком. Возьмите ее.

Такая длинная речь, по-видимому, утомила Дядю, ибо он снова погрузился в сон.

Юная Невеста не шелохнулась. Она думала о себе, о Сыне и о жизни.

Когда ей показалось, что Дядя вот-вот проснется, она встала.

— Поеду за доктором, — заявила девушка.

— Нет, пожалуйста, не надо, это ни к чему. Я знаю, что со мной.

Он надолго умолк, задремал.

— То есть не знаю, что это, но знаю, как это вылечить. Поверьте, достаточно горячей ванны и белого порошка. Естественно, мне пойдет на пользу немного поспать.

Спал он трое суток, почти не просыпаясь. Расположился в коридоре второго этажа, того, где семь окон. Улегся на каменный пол, подложив под голову рубашку, сложенную вчетверо. Ничего не ел, изредка пил. Через равные промежутки времени Юная Невеста поднималась и ставила перед ним бокал с водой, в которой растворяла белый порошок: каждый раз Дядя оказывался в каком-то другом месте, то забивался в угол, то растягивался под окном, собранный, спокойный, но объятый дрожью: девушка представляла себе, как он ползет по каменным плитам, словно зверь с перебитыми лапами. Иногда она задерживалась и молча смотрела на него. Под пропотевшим костюмом угадывалось тело, принадлежавшее всем возможным возрастам, разбросанным, разобранным на детали, без четкого контура: руки ребенка, ноги старика. Однажды она запустила пальцы в его волосы, слипшиеся от гноя. Он не пошевелился. Удивленная, она поймала себя на мысли, пришедшей в голову, не причинив ни малейшего волнения, что человек, наверное, умирает: ничто не казалось ей более неуместным, чем пытаться этому помешать. Она снова спустилась вниз и стала ждать Сына, с таким же, ей казалось, напряжением, так же красиво, как прежде. Но этой ночью, когда она опять пришла к Дяде, тот сжал ей запястье с неожиданной силой и, не просыпаясь, изрек, что ужасно огорчен.

— Чем? — спросила Юная Невеста.

— Я вам все испортил, — ответил Дядя.

И Юная Невеста поняла, что это правда. Сначала от удивления, потом из врожденного стремления приносить пользу дало трещину что-то совершенное, и отклонился полет, изначально безошибочный. Перед ней предстали все великолепные жесты, которые она не перестала осуществлять, и девушка поняла, что с приездом этого человека они проходили единообразной чередой, без счастья, без веры. Я перестала ждать, сказала она себе.

Она снова спустилась вниз, не проронив ни слова, принялась расхаживать по комнатам, сначала взбешенная, потом в отчаянии. Долго смотрела на дверь, пока не поняла с неумолимой ясностью, что она открылась, пропуская не того мужчину, не в тот момент и не по той причине. Она додумалась даже до того, что каким-то таинственным образом Сын об этом догадался, проходя путь, ведущий к дому: увидела его в тот миг, когда он ставил чемодан на землю, не садился в уходящий поезд, останавливал машину и выключал мотор. Нет, пожалуйста, нет, твердила она. Прошу тебя.

Когда через шесть дней Дядя спустился на нижний этаж, чисто выбритый, даже элегантный в костюме табачного цвета, она сидела на полу, забившись в угол, с лицом, изменившимся до неузнаваемости. Дядя бросил на нее мимолетный взгляд, потом направился на кухню, где задремал. У него уже давно не было во рту ни крошки: он наконец поел, с некоторой умеренностью, не просыпаясь. Потом спустился в погреб и там пропал на два или три часа: столько времени понадобилось ему для того, чтобы выбрать бутылку шампанского и бутылку красного вина. Вернулся на кухню, положил шампанское на лед. Ни минуты не отдыхая, откупорил бутылку красного и поставил на стол, чтобы вино дышало. Утомленный непосильным трудом, потащился в столовую и рухнул в кресло, прямо напротив Юной Невесты. Проспав минут десять, открыл глаза.

— Завтра они возвращаются, — сказал он.

Юная Невеста кивнула. Может быть, хотела сказать, что ей до этого нет никакого дела.

— Мне хотелось бы знать, не заняты ли вы сегодня вечером, — продолжал Дядя.

Юная Невеста не проронила ни слова. Не пошевелилась.

— Я так полагаю, что нет, — заявил Дядя. — В таком случае я имею честь пригласить вас на ужин, если это вас не затруднит или не смутит.

Потом он заснул.

Юная Невеста долго вглядывалась в него. Задавалась вопросом, ненавидит ли она этого человека. Да, конечно ненавидит, но не более, чем остальных. Непохоже, чтобы где-то в ней еще сохранились нежность, безумие и красота, после того как все они сговорились обокрасть ее душу. Что еще ей оставалось, кроме ненависти? Когда у тебя нет будущего, инстинкт велит ненавидеть.

— Куда вы хотите повести меня? — спросила девушка.

Минут десять пришлось дожидаться ответа.

— О, никуда. Устроим ужин здесь, я обо всем позабочусь. Определенный уровень гарантирую.

— Вы готовите?

— Иногда.

— Во сне?

Дядя открыл глаза. Долго смотрел на Юную Невесту. Такого за ним никогда не водилось. Долго на кого-то смотреть.

— Да, во сне, — наконец подтвердил он.

Встал, вздремнул немного, опершись о посудную полку, потом направился к входной двери.

— Пойду пройдусь, — заявил он.

Прежде чем выйти, обернулся к Юной Невесте:

— Жду вас в девять часов. Вас не слишком затруднит надеть роскошное платье?

Юная Невеста не ответила.

Я до сих пор так и вижу накрытый стол, тот самый стол для завтраков, но убранный с истинным изяществом, два симметричных прибора, один напротив другого, а вокруг белизна скатерти, без берегов. Свет такой, как надо, тщательно разложены вилки и ножи, безупречно выстроены бокалы. На блюдах — еда, видимо подобранная по цвету. Пять свечей, больше ничего.

Платье, выбранное мной, было неотразимым. То самое, в котором я жила и потела все последние дни, длиной до пят, с небольшим вырезом, грязное, очень легкое. Но под ним ничего не было. Неважно, как это смотрелось извне, для меня было достаточно моего собственного ощущения, очень простого: я шла на ужин голая. Я не помылась, с такими руками я ходила долгие дни, ноги в пыли, в грязи, вонючие. Я тысячу раз заливала лицо слезами и даже не сполоснула его. Но волосы убрала так, как понравилось бы Матери: расчесывала их целый день, надушенными щетками, укладывала перед зеркалом, пробовала разные конструкции, выбирая самую обольстительную и убивая время. Остановилась на высокой прическе, немного надменной, хотя спереди она имела вполне невинный вид; сложной настолько, что легко было заподозрить обман. Распустить ее можно было мгновенно, попросту тряхнув головой.

Я не знала, зачем все это надо. Действовала по наитию, не размышляя. В тот момент ничто не могло быть мне более чуждым, чем стремление к какой-то цели или ожидание результата. Время заместил бесконечный зной, всякое знание — рассеянная беспечность, а все мои желания — безвредная боль, глухая боль под сердцем. Я никогда не существовал в такой малости, как на этом корабле, мирно рассекающем вскипающую влагу вечера, перевозящем меня и мои одиннадцать вещей на белый остров, который ничего обо мне не знает, — мало, или ничего, не знаю и я о ней. С земли мы будем невидимы, оба, в момент мысли — для мира исчезнем. Но, облаченная в расхристанную красоту, в девять часов я была там, неожиданно отдав дань пунктуальности, чего сейчас, говоря откровенно, просто не могу понять. Слышала, как Дядя возится на кухне, потом увидела, как он вошел. Он тоже не переоделся, только снял пиджак. Пришел с ледяной бутылкой шампанского в руках.

— Еда на блюдах, — показал он.

Сел за стол и уснул. Едва взглянул на меня. Я принялась за еду — выбирала цвета, один за другим. Он пил во сне. Я ела прямо руками, пальцы вытирала о платье. Почему, не знаю. Время от времени, не открывая глаз, Дядя подливал мне шампанского. Не помню, чтобы я задавалась вопросом, откуда такая абсурдная точность жеста, такая невероятная пунктуальность. Я пила, и все. Кроме того, в этом остановленном доме, во время наших тайных, безумных литургий, терзаемые поэтическими недугами, мы были персонажами, лишенными какой бы то ни было логики. Я продолжала есть, а он спал. Я не ощущала неловкости, мне все это нравилось — именно абсурд и нравился мне. Я начинала думать, что этот ужин станет одним из лучших в моей жизни. Я не скучала, была собой, пила шампанское. В какой-то момент начала говорить, но медленно, и только о глупостях. Дядя время от времени улыбался во сне. Или делал жест рукой в воздухе. Он меня слушал, так или иначе, и мне было приятно говорить с ним. Все было легким-легким, неприкасаемым. Я не сумела бы сказать, что я такое переживаю. Волшебство, чары. Я чувствовала, как они смыкаются вокруг нас, и когда больше ничего не осталось в мире, кроме моего голоса, я догадалась, что на самом деле не происходит ничего из того, что происходит, и никогда ничего не произойдет. По причине, происходящей, должно быть, от абсурдной напряженности наших поражений, ничего из того, что могли мы сделать, мы оба, тем вечером, не осталось бы в главной книге, в гроссбухе жизни. Мы не вошли бы ни в какой расчет, никакая сумма не пополнилась бы от наших действий, не закрыт никакой дебет и не открыт никакой кредит. Мы были спрятаны в складке творения, невидимы для судьбы, отпущены на волю, освобождены от каких-либо последствий. Так я, пока ела, выпачкав пальцы в теплые цвета пищи, разложенной с маниакальным тщанием, поняла с абсолютной точностью, что эта божественная пустота, без направления, без цели, вытесненная из любого прошлого и неспособная на какое бы то ни было будущее, и представляет собой, *буквально*, волшебство, чары, среди которых этот человек проживал каждую минуту уже долгие годы. Поняла, что то был мир, в котором он укрылся — недостижимый, безымянный, параллельный нашим мирам, неизменный, — и уяснила себе, что тем вечером меня туда допустили благодаря моему безумию. Немало отваги, должно быть, потребовалось этому человеку, чтобы решиться хотя бы вообразить себе подобное приглашение. Или неизбывного одиночества, подумалось мне. Теперь он спал напротив меня, и я впервые знала, что он в действительности проделывает. Переводит невыносимую даль, которую для себя избрал, в благопристойную метафору, ироническую, безвредную, какую каждый способен прочесть. Он ведь был человеком благородным.

Я вытерла пальцы о платье. Посмотрела на него. Он спал.

— С каких пор вы не можете спать? — спросила я.

Он открыл глаза.

— Уже много лет, синьорина.

Может быть, он расчувствовался, или я себе это вообразила.

— Больше всего мне не хватает снов, — признался он.

И, не закрывая глаз, бодрствуя, глядел на меня. Света не хватало, не так легко было понять, какого они цвета. Может, серые. С золотистыми крапинками. Я до тех пор никогда их не видела.

— Все было очень вкусно, — сказала я.

— Спасибо.

— Вам нужно чаще готовить.

— Вы находите?

— Кажется, там была еще бутылка красного?

— Вы правы, извините.

Он встал, исчез в кухне.

Я тоже встала. Прихватила бокал, уселась на пол, забилась в уголок.

Он вернулся, налил мне вина, топтался рядом, не зная хорошенько, что делать дальше.

— Располагайтесь здесь, — показала я.

Показала на огромное кресло, одно из тех мест, где я тысячу раз видела его спящим, пока протекали изобильные завтраки. Если подумать, то из этого самого кресла он приветствовал мое возвращение фразой, которую я не забыла: *Должно быть, вы много танцевали в тех краях, синьорина. Рад за вас.*

— Вы любите танцевать? — спросила я.

— Да, любил, даже очень.

— Что еще вы любили?

— Все. Даже, наверное, слишком.

— Чего вам больше всего не хватает?

— Кроме снов?

— Кроме них самых.

— Снов, которые снятся наяву.

— Вы видели много таких?

— Да.

— И они сбылись?

— Да.

— И как оно?

— Бесполезно.

— Я вам не верю.

— Вы и не должны верить. Вам слишком рано верить в такое, в ваши-то годы.

— И сколько мне лет?

— Немного.

— Есть какая-то разница?

— Да.

— Объясните какая.

— Однажды вы увидите сами.

— Я хочу узнать сейчас.

— Вам это не принесет пользы.

— Вы опять все о том же?

— О чем?

— О том, что все бесполезно.

— Я такого не говорил.

— Вы сказали, что бесполезно, когда сны сбываются.

— Это да.

— Почему?

— Для меня это было бесполезно.

— Расскажите.

— Нет.

— Давайте.

— Синьорина, я вынужден в самом деле просить вас...

Тут он закрыл глаза и откинул голову назад, на спинку кресла. Казалось, его притягивала некая невидимая сила.

— Ну нет, — проговорила я.

Поставила бокал, поднялась с пола и села к нему на колени, раскинув ноги. Сразу уперлась в его член, чего вовсе не хотела. Но стала раскачиваться. Выгнула спину и медленно раскачивалась, оседлав его, положив руки ему на плечи, пристально на него глядя.

Он открыл глаза.

— Прошу вас, — взмолился.

— Вы мне кое-что должны, я приму в счет долга вашу историю, — сказала я.

— Не думаю, чтобы я был вам что-то должен.

— Нет, должны.

— В самом деле?

— Вернуться должны были не вы, а Сын.

— Сожалею.

— Не думайте, что так легко отделаетесь.

— Да?

— Вы мне все испортили, и теперь я хочу взамен вашу подлинную историю.

Он воззрился как раз на то место, где я раскачивалась.

— История как история, таких много, — заметил он.

— Не важно, я хочу услышать ее.

— Даже не знаю, с чего начать.

— Начните с конца. С момента, когда вы начали спать и прекратили жить.

— Я сидел за столиком в кафе.

— С вами был кто-нибудь?

— Больше не было.

— Вы сидели один.

— Да. Я задремал, даже не склонив головы. Во сне прикончил анисовку, это случилось в первый раз. Когда проснулся и увидел пустой бокал, понял, что теперь так будет всегда.

— Может быть, окружающие.

— В смысле?

— Ну, официанты, разве они не разбудили вас?

— Кафе было немного старомодное, с престарелыми официантами. В пожилом возрасте многое понимаешь.

— Они вам позволили спать.

— Да.

— Который был час?

— Не знаю, где-то днем.

— Как вы вообще очутились в том кафе?

— Я уже сказал, это длинная история, не уверен, что хочу рассказывать ее вам, а кроме того, вы раскачиваетесь на мне, не понимаю зачем.

— Чтобы не дать вам вернуться обратно в ваш мир.

— А-а.

— Историю.

— Если я вам ее расскажу, вы сядете обратно на пол?

— Даже не подумаю, мне так нравится. А вам нет?

— Простите?

— Я спросила, нравится ли вам.

— Что именно?

— Вот это: когда я раздвигаю ноги и трусь о ваш член.

Он закрыл глаза, голова чуть отклонилась назад, я впилась пальцами в его плечи, он снова открыл глаза, поглядел на меня.

— Была одна женщина, я так любил ее, — начал.

Была одна женщина, я так любил ее. Все, что она ни делала, получалось прекрасно. В мире больше нет таких, как она.

Однажды она пришла с маленькой потрепанной книжкой в голубой обложке, очень изящной. Прекрасно то, что она ехала через весь город, чтобы мне ее привезти, я эту книжку увидел в старой книжной лавке и забыл обо всем на свете, только чтобы немедленно ею завладеть, такой она показалась мне неотразимой и цен-

228

ной. У книжицы был великолепный заголовок: *Как покидать корабль.* То было маленькое пособие. Буквы на обложке чистые, совершенные. Иллюстрации внутри сверстаны с бесконечным тщанием. Вы способны понять, что такая книга стоит больше, чем вся литература?

— Возможно.

— Не находите ли вы, по крайней мере, что перед таким заглавием невозможно устоять?

— Возможно.

— Не важно. Важно то, что она пришла с этой книжицей. Я долго носил ее с собой, настолько любил. Она была маленькая, помещалась в кармане. Когда я преподавал, клал ее на кафедру, потом снова засовывал в карман. Прочел выборочно пару страниц, материя довольно скучная, но ведь не в этом дело. Прекрасно было держать ее в руках, листать. Прекрасно было думать: пусть в жизни случаются пакости, эта книжица лежит у меня в кармане, а рядом со мной — женщина, которая мне ее подарила. Вы способны это понять?

— Конечно, я ведь не дура.

— О, самое прекрасное позабыл. На первой странице, чистой, была дарственная надпись, довольно трогательная. Книга была подержанная, как я говорил, и на первой странице — дарственная надпись: *Терри после первого месяца пребывания в Больнице Святого Фомы. Папа и мама.* Целыми днями можно фантазировать по поводу такой дарственной надписи. Вот какого рода красоту я находил сокрушительной. И женщина, которую я так любил, умела это понимать. Зачем я вам обо всем этом рассказываю? Ах да: кафе. Вы уверены, что хотите узнать, что было дальше?

— Конечно.

— Прошло время, и со временем я потерял женщину, которую так любил, по причинам, которые нас сейчас не интересуют. С другой стороны, я не уверен, что понял, почему это произошло. Так или иначе, я продолжал таскать с собой...

— Эй, минуточку. Кто сказал, что причины нас не интересуют?

— Я.

— Говорите за себя.

— Нет, я говорю за нас двоих, и, если это вас не устраивает, спускайтесь с моих колен, и пусть вам эту историю расскажет Сын, когда вернется.

— Ладно, ладно, необязательно вам...

— Наступили странные времена, мне казалось, будто я овдовел, я ходил, как ходят вдовцы, знаете, в полуобморочном состоянии, вертел головой, как птица, сбитая с толку. Понимаете, что я имею в виду?

— Да, думаю, да.

— Но по-прежнему с книжицей в кармане. Идиотизм: нужно было выбросить все, что женщина, которую я так любил, оставила после себя, но как это сделать, ведь это как кораблекрушение, вокруг плавает целая уйма вещей, самых разных, в подобных случаях. И никак не удается по-настоящему навести чистоту. Да и нужно уцепиться за что-то, когда уже не можешь плыть. Вот почему эта книжица лежала у меня в кармане тогда, в кафе, а ведь прошли уже месяцы с тех пор, как все было кончено. Но книжица лежала в кармане. Я назначил свидание женщине, ничего такого важного, женщина не была какая-то особенная, я едва ее знал. Мне нравилось, как она одета. Она смеялась красиво, только и всего. Говорила мало, и в тот день, в кафе, говорила так мало, что я впал в ужасную тоску. Тогда я вытащил книжицу, стал рассказывать — вот, дескать, только что купил. Вся эта история ей показалась очень странной, но до какой-то степени любопытной, она немного расслабилась, начала меня расспрашивать, завязался разговор, я чем-то рассмешил ее. Нам стало проще, даже приятнее. Она мне показалась красивее, время от времени мы склонялись друг к дружке, забывая о людях за соседними столиками, только я да она, это было восхитительно. Потом настала пора ей уходить, и нам показалось естественным поцеловаться. Я смотрел, как она идет по улице, походкой, притягивающей взгляд, и исчезает за углом. Потом опустил глаза. На столике стояли наши два бокала с анисовкой, наполовину полные, и лежала голубая книжка. Я оперся рукой о книжицу, и меня поразила мысль о ее безграничном безразличии. В нее было вложено столько любви, и преданности, и поклонения, со времен Терри и до моих; столько жизни наилучшего сорта: но она оставалась ничем, она не оказала ни малейшего сопротивления моей маленькой подлости, не возмутилась, лежала себе и лежала, готовая к следующему приключению, полностью лишенная постоянного смысла, легкая и пустая, словно родилась в этот самый миг, а не возрастала в самой сердцевине стольких жизней. Тогда я вдруг осознал наше поражение во всем его трагическом масштабе и почувствовал, как меня одолевает невыразимая, окончательная усталость. Может быть, заметил, как что-то внутри меня сломалось навсегда. Я скользил на некотором расстоянии от предметов и чувствовал, что никогда не смогу вернуться вспять. Я дал себе волю. Это было изумительно. Я ощущал, как вся тоска, вся тревога растворяются во мне и исчезают. Я очутился в сияющей безмятежности с редкими прожилками печали и узнал землю, которую всегда искал. Люди, меня окружавшие, увидели, как я засыпаю. Вот и все.

— Не думаете ли вы, что я поверю, будто вы спите долгие годы из-за такой дребедени...

— То была лишь последняя дребедень из внушительной серии ей подобных.

— Например?

— Предательство вещей. Знаете, о чем я говорю?

— Нет.

— Это очень поучительно: обнаружить, что предметы не несут в себе ничего из того смысла, который мы им придаем. Достаточно косвенного обстоятельства, малейшего смещения траектории, и в единый миг они становятся кусочком совсем другой истории. Думаете, это кресло изменится, выслушав мои речи или дав приют вашему телу и моему? Возможно, через несколько месяцев кто-нибудь *умрет* в этом кресле, и каким бы незабываемым ни оказался для нас этот вечер, оно даст приют той смерти, и баста. Сделает это наилучшим образом, словно его и сколотили специально для такого случая. И никак не отреагирует, когда, может быть всего лишь час спустя, кто-нибудь рухнет в него и захохочет над похабной шуткой или расскажет анекдот, в котором покойный предстанет совершенным болваном. Видите, какое бесконечное безразличие?

— Это так важно?

— Конечно. В поведении вещей мы изучаем феномен, который обнаруживается понемногу во всем. Поверьте, то же самое можно сказать о местах, людях, даже чувствах; безусловно, об идеях.

— То есть?

— Мы прилагаем невероятные усилия, чтобы придать смысл вещам, местам, всему на свете: в итоге нам не удается ничего закрепить, все сразу же становится безразличным, вещи, взятые взаймы, проходные идеи, чувства, хрупкие, как стекло. Даже тела, вожделение к телам непредсказуемо. Мы можем открыть по любому кусочку мира огонь такой интенсивности, на какую мы только способны, а он через час опять окажется первозданным. Ты можешь понять какую-то вещь, постигнуть ее до дна, а она уже повернулась, она ничего о тебе не знает, живет своей таинственной жизнью, никак не учитывая то, что ты над ней проделал. Нас предают те, кто нас любит, и мы предаем тех, кого любим мы. Нам ничего не удается закрепить, поверьте. В молодости, пытаясь выяснить, откуда берется глухая боль, прилепившаяся ко мне, я приходил к убеждению, будто проблема в том, что я не в состоянии отыскать свой путь; но, видите ли, мы много странствуем, даже с отвагой, наитием, страстью, и каждый выбирает свой верный путь, без ошибки. Но мы не оставляем следов. Не знаю почему. Наши шаги не оставляют следов. Возможно, мы — животные хитрые, быстрые, злобные, но неспособные оставлять на земле меты. Не знаю. Но поверьте, мы не оставляем следов даже в самих себе. Таким образом, нет ничего, что пережило бы наше намерение, и все, что мы возводим, никогда не возводится.

— Вы правда в это верите?

— Да.

— Возможно, это касается только вас.

— Не думаю.

— Меня это касается тоже?

— Представляю себе, что да.

— Каким образом?

— Самыми разными.

— Назовите хоть один.

— Нас предают те, кто нас любит, и мы предаем тех, кого любим мы.

— И при чем здесь я?

— Именно это с вами происходит.

— Я никого не предаю.

— Да неужели? А это как называется?

— Что — это?

— Вы прекрасно знаете что.

— Это здесь ни при чем.

— Вот именно. Это здесь ни при чем, это никак не касается вашей великой любви, никак не касается Сына, никак не касается представления, которое вы имеете о себе самой. Нет ни следа всего этого в жестах, которые вы осуществляете в данный момент. Вам это не кажется любопытным? Ни малейшего следа.

— Я осталась здесь, чтобы ждать его, разве это ничего не значит?

— Не знаю. Скажите мне.

— Я никогда не переставала любить его, я здесь ради него, он со мной всегда.

— Вы уверены?

— Конечно. Мы никогда не переставали быть вместе.

— Тем не менее я его здесь не вижу.

— Он скоро приедет.

— Так все думают.

— И что?

— Может быть, вам интересно будет узнать правду.

— Правда в том, что Сын скоро приедет.

— Боюсь, что нет, синьорина.

— Вы-то что об этом знаете?

— Знаю, что в последний раз его видели год назад. Он поднимался на борт куттера, маленького парусного судна. С тех пор о нем никто ничего не знает.

— Что за чушь вы несете?

— Естественно, такую новость нельзя было сообщать Отцу резко и внезапно. Следовательно, предпочли это дело отложить, а потом распорядиться сведениями, скажем так, последовательно. Даже не исключено, с другой стороны, что Сын в один прекрасный день возникнет из небытия. Вы перестали раскачиваться, синьорина.

— А вы — нет.

— Я — нет, это правда.

— Зачем вы рассказываете эти небылицы? Хотите причинить мне боль?

— Сам не знаю.

— Это небылицы?

— Нет.

— Скажите мне правду.

— Это и есть правда: Сын исчез.

— Когда?

— Год назад.

— Кто вам-то об этом сказал?

— Этим делом занимался Командини.

— Он.

— Он единственный знал, до недавнего времени. Потом пришел и рассказал мне, за несколько дней до отъезда. Хотел спросить совета.

— А все это барахло?

— Два барана и прочее?

— Да.

— Ну, все несколько усложнилось с вашим приездом. Нелегко стало и дальше спускать дело на тормозах. Тогда Командини показалось, что, если откладывать приезд на долгий срок, до бесконечности, это поможет выиграть время.

— Так те вещи отправлял Командини?

— Да.

— Не могу поверить.

— Род любезности по отношению к Отцу.

— Безумие...

— Мне жаль, синьорина.

— Я буду всех вас ненавидеть, всей душою, вечно, вплоть до того дня, когда вернется Сын.

Дядя закрыл глаза, я почувствовала, как плечи под моими руками расслабляются.

Я вцепилась крепче.

— Не смейте, — сказала. — Не уходите.

Он приоткрыл глаза, взгляд был пустым.

— Теперь отпустите меня, синьорина, прошу вас.

— Даже не подумаю.

— Прошу вас.

— Я не останусь здесь одна.

— Прошу вас.

Он снова закрыл глаза, отправляясь в свое волшебство, свои чары.

— Вы слышали? Я не останусь здесь одна.

— Мне правда нужно идти.

Он говорил уже во сне.

Тогда я сдавила ему горло. Он открыл глаза, ошарашенный. Я глядела на него пристально, и на этот раз взгляд мой был твердым, может быть, злым.

— Черт вас возьми, куда, по-вашему, вы идете? — спросила я.

Дядя огляделся вокруг, скорее всего, затем, чтобы не встречаться со мной глазами. А может, искал ответ, в вещах.

— Я не останусь здесь одна, — повторила я. — Вы уедете со мной.

Я видела, как веки его опустились, и он глубоко вздохнул. Но я знала, что не отпущу его. Я чувствовала его член у меня между ногами и ни на миг не прекращала танца. Я сняла платье через голову, жестом, который не мог напугать его. Он приоткрыл глаза и посмотрел на меня. Я убрала руки с его плеч и принялась расстегивать на нем рубашку: Мать научила меня, что это право принадлежит мне. Я не склонилась поцеловать его, так и не приласкала ни разу. Тряхнув головой, мгновенно распустила прическу. Добралась до последней пуговицы и на этом не остановилась. Продолжала смотреть Дяде в глаза, не позволяя вернуться в волшебство, в чары. Он смотрел на мои руки, потом в глаза, потом снова на руки. Он, казалось, не испытывал страха, не задавал вопросов, не любопытствовал. Взяла в руки его член, очень скоро он окреп, распрямился на ладони, нечто, мне принадлежавшее, явившееся издалека и снова попавшее ко мне. Я пересела повыше, по-прежнему раздвигая ноги, и мне вспомнилось прекрасное бабушкино выражение: упругий живот. Я начинала понимать, что это значит.

— Не делайте это с ненавистью, — попросил Дядя.

Я опустилась и приняла его в себя.

— Я делаю это не из любви, — отозвалась я. Все остальное я помню, но держу при себе, всю эту странную ночь, проведенную в трещине мира, исключенную из главной книги, из гроссбуха живущих, на время похищенную у разорения и возвращенную на заре, когда первый свет просочился сквозь шторы и я, сжимая мужчину в объятиях, убаюкала его, усыпила, на этот раз по-настоящему, и вернула его к его снам.

Мы проснулись, когда уже было поздно. Взглянули друг на друга и поняли: нельзя, чтобы нас застали так. Инстинкт велит всегда начинать все сначала. Мы поспешно принялись за уборку, я переоделась, он поднялся к себе в комнату. Я никогда не видела, чтобы он так двигался: один уверенный жест за другим, глаза живые, походка изящная. Мне пришло на ум, что Дочери легко будет его любить.

Мы не обменялись ни словом. Только в какой-то момент я спросила:

— И теперь что вы будете делать?

— А вы? — отозвался он.

В полуденном солнце кто-то постучался в дверь, почтительно, но твердо.

Модесто.

Дойдя где-то до этого места, я забыл свой компьютер на сиденье автобуса. Автобус пересекал остров с севера на юг, пробираясь по улочкам, в которые едва помещался. По-простецки втискивался между домами, оставляя зазор в пару миллиметров. В какой-то момент я сошел и забыл компьютер на сиденье. Когда обнаружил это, автобус уже исчез. Хороший был компьютер, помимо всего прочего. А в нем — моя книга.

Естественно, было бы несложно его вернуть, но я, по правде говоря, махнул рукой. Чтобы понять почему, нужно представить себе повсюду разлитый свет, море вокруг, ленивых псов на солнышке, да и вообще то, как люди живут в таких местах. На юге мира действуют любопытные приоритеты. У южан особое отношение к проблемам: решать их вовсе не первый жест, который приходит в голову. Поэтому я немного погулял, уселся в порту на низкую стенку и стал смотреть, как лодки снуют туда и сюда. Мне нравится, что всякое дело они делают медленно. Если смотреть издалека, я хочу сказать. Это своего рода танец, кажется, он каким-то образом исполнен мудрости или торжественности. Иногда — разочарования. Может быть, есть в нем оттенок отрешенности, мягкий. В этом волшебство, чары любого порта.

Потому я и сидел там, и все складывалось прекрасно.

После, вечером, я вернулся к истории с компьютером, но без особой тревоги или страха. Это может показаться странным, если учесть, что писать на этом компьютере и созидать мою книгу многие месяцы было единственным занятием, которому мне удавалось посвящать себя с достаточной страстью и ненарушимым тщанием. Я должен был бы обделаться от ужаса, вот что должно было произойти. А я просто подумал, что буду продолжать писать, но теперь в уме. Такой эпилог мне даже показался естественным и неизбежным. Я вдруг подумал, что стучать по клавиатуре — какая-то ненужная тяжесть, механический довесок к жесту, который может стать куда более легким и неподдающимся захвату. Тем более что уже давно я писал мою книгу, прогуливаясь, или лежа на земле, или ночью, во мраке бессонницы; потом, за компьютером, я подкручивал гайки, натирал воском, как следует упаковывал — весь репертуар приемов ремесла; теперь, по правде говоря, я уже и не припомню точно, для чего они надобны. Для чего-то да надобны, определенно. Но я забыл для чего. Это, наверное, и не важно.

Нужно также иметь в виду, что, если ты для этого рожден, писание является жестом, совпадающим с памятью: ты запоминаешь все, что пишешь. Следовательно, на самом деле было бы неверно утверждать, будто я потерял мою книгу, поскольку, если уж говорить начистоту, я мог бы рассказать ее всю наизусть, ну, может, не всю, но в любом случае те части, которые что-то значат. Разве что не мог в точности припомнить некоторые фразы, но следует отметить также, что, вытаскивая их на поверхность из того места, куда они проскользнули, я их в конце концов переписывал, в уме, придавая им форму, очень близкую к оригинальному тексту, но все-таки не совсем идентичную, и в результате получалось что-то вроде расфокусировки, или мерцания, или удвоения, отчего все, что я ни писал в своем воображении, блистательным образом вызревало. Ведь в конечном итоге та единственная фраза, которая могла бы в точности передать особое намерение пишущего, никогда не будет одной фразой, но суммой, наслоением всех фраз, какие он сначала вообразил, потом записал, потом припомнил: прозрачные, они должны были бы накладываться друг на друга и восприниматься одновременно, словно аккорд. Это и проделывает память с ее фантасмагорической приблизительностью. Итак, если быть объективным, я не только не потерял мою книгу, но в определенном смысле заново обрел ее во всей ее полноте, теперь, когда она развоплотилась, отправившись на зимние квартиры моего ума. Я мог вызвать ее на поверхность в любой момент, едва заметным усилием, происходящим из тайных глубин моего существа, откуда именно, затрудняюсь сказать: она возникала вновь в мерцающем блеске, рядом с которым четкий порядок отпечатанной страницы отдавал неизменностью могильной плиты.

Или, во всяком случае, так мне казалось, когда я сидел в портовом кабачке тем вечером, на острове. Я — гений по части того, чтобы выискивать в неприятностях хорошие стороны. Застрянь я в лифте на Рождество, я и в этом отыскал бы свои преимущества. Такому трюку я научился от отца (о, он еще жив и по ночам проходит по своему персональному полю для гольфа на девять лунок). Например, будет что рассказать за обедом в день святого Стефана[1].

---

[1] То есть на следующий день после Рождества, 26 декабря. (*Примеч. перев.*)

Обо всем этом я размышлял и тем временем перечитывал книгу, местами переписывал, все в уме, машинально макая хлеб в соус от фрикаделек.

В какой-то момент жизнерадостный толстяк, сидевший за соседним столиком, тоже в одиночестве, спросил, все ли со мной в порядке. Я подумал, что, наверное, выкинул какой-нибудь фокус — это вполне возможно, когда я читаю или пишу книгу в голове, другие части тела порой выходят из-под контроля. Я хочу сказать, те, куда книга не проникает. Щиколотки, например.

Я выбрался из своей книги и заявил, что у меня все в полном порядке.

— Я писал, — пояснил я любопытному.

Он кивнул утвердительно, дескать, такое происходило также и с ним, много лет назад, в молодости.

— Теперь мне шестьдесят.

Благодушный, довольный собой, он охотно сообщил мне, что приехал сюда, на море, потому что уговорил уступчивого врача прописать ему недельку *бальнеотерапии*. Им на это сказать нечего, уточнил толстяк. Думаю, он имел в виду своих работодателей. Пояснил, что за этой самой *бальнеотерапией* ты как за каменной стеной. Пусть себе едут и проверяют, сказал. Потом перешел к политике и спросил у меня, спасется ли Италия.

— Очевидно, что нет, если все итальянцы такие, как мы с вами, — ответил я.

Он нашел это весьма забавным, ему показалось, что мы подружимся, или что-то в таком роде. Решил, что мы созданы друг для друга, потом отправился восвояси. Хотел пораньше вернуться домой: назавтра соседи пригласили его отведать баклажанов — связь между тем и другим казалась ему такой очевидной, что не требовала объяснений.

Так я остался в кабачке последним посетителем. Вот что еще мне нравится: когда за мной закрывают рестораны, по вечерам. Я сижу и смотрю рассеянно, как гасят свет, ставят стулья на столики. Особенно нравится мне наблюдать, как официанты расходятся по домам, одетые по-человечески, без белой куртки или передника, внезапно вернувшиеся на землю. Они идут слегка нетвердой походкой, похожие на лесных зверей, расколдованных, ускользнувших от чар.

Этим вечером, однако, я их не замечал. Дело в том, что я продолжал писать. Даже не помню, к слову, оплатил ли я счет. Я писал в уме начиная с того момента, когда уехала Юная Невеста. Рано или поздно это должно было случиться, и в тот день, когда случилось, все сумели воспроизвести уместные жесты, подсказанные воспитанием и обкатанные десятилетиями хорошего тона. Вопросы исключались. От банальных советов воздерживались. Чувствительность не поощрялась. Все видели, как Юная Невеста исчезла за поворотом, но никто не мог бы сказать, куда она направилась: но библейское исчезновение Сына и остановка времени, которой это исчезновение отметило их дни, сделали их неспособными выявить слабую связь, какую обычно имеют между собой отъезд и приезд, намерение и поведение. И они смотрели, как девушка уезжает, так же, как, по сути, смотрели на ее приезд: не ведая ни о чем, обо всем осведомленные.

Свои восемнадцать лет Юная Невеста решила приспособить там, где это показалось ей наиболее подходящим и наименее лишенным логики. Результат подобного умозаключения мог бы удивить и сейчас, но следует помнить, что, обитая в отвлеченном мире Семейства, эта девушка ни на миг не переставала учиться. И теперь она знала, что нет многих судеб, но есть одна-единственная история, и только в повторении проявляется точность жеста. Она задалась вопросом, где ей ждать Сына, не теряя уверенности, что тот вернется, и куда Сын вернется, не потеряв уверенности, что она по-прежнему его ждет. Ответ не вызывал сомнений. Она явилась в бордель, в городе, и спросила, можно ли ей поселиться там.

— Такому ремеслу не научишься за ночь, — сказала Португалка.

— А я и не спешу, — отозвалась Юная Невеста. — Я жду одного человека.

Прошло почти два года с тех пор, как она стала зарабатывать на жизнь таким способом, когда за ней кто-то послал среди ночи. Она была в комнате с русским путешественником — мужчиной лет сорока, очень нервозным и необычайно воспитанным. Как только этот мужчина прикоснулся к ней в первый раз, Юная Невеста поняла, что он — гомосексуалист, хотя сам об этом не знает.

«На самом деле, всё они прекрасно знают, — пояснила однажды Португалка. — Просто не могут себе позволить в этом признаться».

«Тогда чего они ждут от нас?» — спросила Юная Невеста.

«Чтобы мы помогали им обманывать себя».

Потом посвятила ее в семь способов доставить им наслаждение так, чтобы они отправились восвояси в мире с самими собой.

Впоследствии Юная Невеста не раз имела случай убедиться в том, что все семь способов действуют безотказно; так что она элегантно приступала к первому, когда пришли ее звать. Поскольку нерушимым правилом борделя было ни за что на свете, ни под каким предлогом не прерывать работу девушек, она поняла, что случилось нечто из ряда вон выходящее. Впрочем, о Сыне она не подумала. Не то чтобы она перестала его ждать или верить в его возвращение. Напротив: если бы у нее и оставались какие-то сомнения, она бы избавилась от них в тот день, когда без всякого предупреждения в бордель пришел Командини. Спросил о ней и явился, держа шляпу в руке. Они не виделись больше года.

— Я хотел бы коротко переговорить с вами, — пояснил он.

Юная Невеста его ненавидела.

— Цена остается прежней, — заявила она, — если вы хотите только разговаривать, это ваше личное дело.

Так Командини расстался с нешуточной суммой, чтобы усесться перед Юной Невестой в комнате, обставленной чуть-чуть на турецкий лад, и выложить ей всю правду. Или, по крайней мере, ту часть правды, которую знал. Сказал, с каких пор никто ничего не знает о Сыне. Разъяснил всю историю с посылками, от двух баранов и далее. Подтвердил, что последним жестом Сына, о котором стало известно, была покупка маленького куттера в Ньюпорте. Добавил, что нет никаких сведений ни о его смерти, ни о несчастном случае, какой мог бы с ним приключиться. Он исчез, испарился, и баста.

Юная Невеста кивнула. Потом подвела собственный итог сказанному:

— Очень хорошо. Значит, он жив и вернется.

Потом спросила, надо ли ей раздеться.

Было замечено, что Командини долго колебался, прежде чем сказал: «Нет, спасибо», встал и направился к двери.

Он уже уходил, когда Юная Невеста задала ему вопрос:

— Какого черта вы отправили «Дон Кихота»?

— Простите?

— Какого черта из всех книг, какие есть на свете, вы отправили именно «Дон Кихота»?

Командини пришлось рыться в памяти, отыскивая воспоминание, которое он, очевидно, не считал настолько полезным, чтобы держать в пределах досягаемости. Потом объяснил, что он в книгах не очень разбирается, просто выбрал заглавие, которое заприметил на обложке тома, брошенного в углу, в комнате Матери.

— В комнате Матери? — переспросила Юная Невеста.

— В точности так, — подтвердил Командини довольно жестко. Потом вышел, не прощаясь.

Поэтому, пока она шла по коридору, легкой накидкой прикрывая грудь, Юная Невеста вполне могла думать о Сыне — имела право думать о нем и желание тоже. Но с тех пор как какой-то дядя, снедаемый лихорадкой, прибыл вместо мужчины, придававшего смысл ее юности, Юная Невеста перестала ждать от жизни событий, которые можно предвидеть. Поэтому она попросту шла, куда ее вели, — ум свободен от мыслей, сердце отчуждено, — в комнату, где кто-то ее ждал.

Вошла и увидела Модесто и Отца.

Тот и другой были одеты тщательно и элегантно. Отец лежал на постели с перекошенным лицом.

Модесто дважды слегка кашлянул. Юная Невеста никогда не слышала такого кашля, но прекрасно поняла, что он значит. Она прочла в нем искусно между собой перемешанные подавленность, изумление, неловкость и ностальгию.

— Да, — улыбнулась она.

Благодарный Модесто слегка поклонился и отошел от кровати, отступая на пару шагов назад, потом разворачиваясь так, будто порыв ветра, а не его злополучный выбор уносит его прочь. Он покинул комнату и эту книгу, больше не промолвив ни слова.

Тогда Юная Невеста приблизилась к Отцу. Их взгляды встретились. Отец был ужасно бледен, грудь его беспорядочно вздымалась. При каждом вдохе он будто отгрызал от воздуха куски; глаза то и дело закатывались. Он, казалось, постарел на тысячу лет. Собрав все силы, какие у него еще оставались, он произнес с огромным трудом, неожиданно твердо одну-единственную фразу:

— Я не умру ночью, я это сделаю при свете солнца.

Юная Невеста инстинктивно все поняла и бросила взгляд на окно. Сквозь полуопущенные жалюзи не просачивалось ничего, кроме тьмы. Оглянулась посмотреть, который час на часах с маятником, которые в этой комнате, как и во всех остальных, отмеряли, не без шика, рабочее время. Она не знала, в котором часу рассветет. Но поняла, что нужно побороть несколько часов и прахом развеять судьбу. Решила, что справится.

Быстро перебрала в уме все жесты, какие можно было бы осуществить. Остановилась на одном, рискованном, и это был его недостаток, но неизбежном, и в этом заключалось его достоинство. Покинула комнату, вновь прошла по коридору, до каморки, где девушки хранили свои вещи, открыла ящик, предназначенный для нее, вынула небольшой предмет — подарок неизмеримой ценности — и, зажав его в руке, вернулась к Отцу. Заперла дверь на ключ, подошла к кровати и сняла накидку. Восстановила в уме единственно верный образ, образ Матери, которая столько лет назад, когда умер Отец Отца, сжимала его между ног, гладила по голове и говорила с ним вполголоса, будто с живым. Усвоив, что единственный точный жест состоит в повторении, она взобралась на кровать, приблизилась к Отцу, обняла его и очень осторожно легла к нему на грудь, стискивая ногами. Девушка точно знала: Отец понимает, что она делает.

Она подождала, пока дыхание Отца выровняется, и взяла в руки подарок, столь для нее ценный. То была маленькая книжица. Она показала ее Отцу и вполголоса прочла заглавие.

Как покидать корабль.

Отец улыбнулся, потому что смеяться уже был не в силах и потому, что если у кого есть чувство юмора, то это навсегда.

Юная Невеста открыла книжицу на первой странице и принялась читать вслух. Поскольку девушка много раз листала ее, то знала, что она во всем похожа на Отца: скрупулезная, рассудительная, неспешная, неопровержимая, на первый взгляд стерильная, а в глубине — поэтичная. Старалась читать так хорошо, как могла, и если чувствовала, что тело Отца тяжелеет или теряет волю, убыстряла ритм, чтобы прогнать смерть. Она дошла до страницы 47, где-то до середины главы, посвященной правилам хорошего тона, установленным на борту спасательной шлюпки, когда сквозь жалюзи начал просачиваться свет с едва заметными прожилками оранжевого. Юная Невеста наблюдала, как он ложится на кремовые страницы, на каждую букву, на звук ее голоса. Она не перестала читать, но заметила, что всякая усталость в ней развеялась прахом. Продолжала раскрывать причины, на удивление многочисленные, согласно которым женщин и детей рекомендуется размещать на носу, и только когда перешла к перечислению преимуществ и недостатков спасательных кругов из каучука, увидела, что Отец повернулся к окну и изумленно, широко раскрытыми глазами, смотрит на этот свет. Тогда она прочла еще несколько слов, медленнее, потом еще несколько слов, еле слышно, — а потом наступила тишина. Отец по-прежнему смотрел на свет. В какой-то момент моргнул, стряхивая слезы, которые не были им предусмотрены. Нашел руку Юной Невесты и сжал ее. Что-то проговорил. Юная Невеста не поняла и склонилась к Отцу, чтобы лучше расслышать. Он повторил:

— Скажите моему сыну, что ночь миновала.

Он умер, когда солнце чуть оторвалось от горизонта, умер без хрипа, без судороги, испустив вздох, такой же, как многие другие, последний.

Юная Невеста поискала биение сердца в теле, которое сжимала в объятиях, и не нашла его. Тогда она провела ладонью по лицу покойного, закрывая ему глаза, жестом, который всегда был привилегией живых. Потом снова открыла маленькую книжицу в голубой обложке и продолжила чтение. Она не сомневалась, что Отцу бы это понравилось, и в некоторых местах ощущала, что ни одна молитва над усопшим не подошла бы лучше. Не остановилась до самого конца, а когда дошла до последней фразы, прочла ее очень медленно, осторожно, будто боялась ее разбить.

Через четыре года — как мне довелось несколько дней назад написать в уме, уставившись невидящим взглядом на море, которого я больше никогда не покину, — в бордель явился мужчина невероятного очарования, элегантный в самой простой одежде и сильный каким-то неестественным спокойствием. Пересек салон, почти не глядя вокруг, и уверенно направился к Юной Невесте, которая сидела на *dormeuse*[1] с бокалом шампанского в руках и, забавляясь, выслушивала признания отставного министра.

Увидев новоприбывшего, Юная Невеста чуть прищурила глаза. Потом встала.

Вгляделась в лицо мужчины, в сухие черты, длинные волосы, зачесанные назад, бороду, обрамлявшую полуоткрытые губы.

— Ты, — сказала.

Сын снял пиджак из грубой шерсти волшебного цвета и набросил его на плечи Юной Невесте. Потом, без малейшей тени упрека, с чуть ли не детским любопытством, задал вопрос:

— Почему именно в борделе?

Юная Невеста знала абсолютно точный и правильный ответ, но оставила его при себе.

— Здесь вопросы задаю я, — сказала.

Конец

---

[1] Кушетка, раскладное кресло (*фр.*).

Барикко А.

Б 25   Юная Невеста : роман / Алессандро Барикко ; пер. с ит. А. Миролюбовой. — М. : Иностранка, Азбука-Аттикус, 2016. — 256 с. — (Большой роман).

ISBN 978-5-389-11031-1

В новом романе Алессандро Барикко «Юная Невеста», как и в его знаменитом «1900-м», царит атмосфера начала XX века. Мы попадаем в дом, где повседневную жизнь определяют жесткие правила, а за персонажами строго закреплены роли: Отец, пользующийся непререкаемым авторитетом, взбалмошная красавица Мать, загадочная Дочь, Дядя, который лишь на краткое время пробуждается от беспробудного сна. Каждое утро из Англии приходит телеграмма от Сына. Текст ее неизменен: «Все хорошо». Но Юная Невеста, прибывшая из Аргентины, чтобы выйти замуж за Сына, поневоле нарушает сложившиеся ритуалы, ведь ей неведомо, в какую игру вовлечено Семейство и что поставлено на кон.

Впервые на русском.

УДК 821.131.1
ББК 84(4Ита)-44

Литературно-художественное издание

АЛЕССАНДРО БАРИККО
ЮНАЯ НЕВЕСТА

Ответственный редактор Галина Соловьева
Художественный редактор Вадим Пожидаев
Технический редактор Татьяна Раткевич
Корректоры Лариса Ершова, Татьяна Бородулина

Главный редактор Александр Жикаренцев

Подписано в печать 30.08.2016. Формат издания 84 × 90 $^1/_{32}$.
Печать офсетная. Тираж 5000 экз. Усл. печ. л. 11,2. Заказ № 3283/16.

Знак информационной продукции
(Федеральный закон № 436-ФЗ от 29.12.2010 г.): 18+

ООО «Издательская Группа „Азбука-Аттикус"» —
обладатель товарного знака «Издательство Иностранка»
119334, г. Москва, 5-й Донской проезд, д. 15, стр. 4

Филиал ООО «Издательская Группа „Азбука-Аттикус"»
в Санкт-Петербурге
191123, г. Санкт-Петербург, Воскресенская наб., д. 12, лит. А

ЧП «Издательство „Махаон-Украина"»
04073, г. Киев, Московский пр., д. 6 (2-й этаж)

Отпечатано в соответствии с предоставленными материалами
в ООО «ИПК Парето-Принт».
170546, Тверская область, Промышленная зона Боровлево-1, комплекс № 3А.
www.pareto-print.ru

ПО ВОПРОСАМ РАСПРОСТРАНЕНИЯ ОБРАЩАЙТЕСЬ:

В Москве: ООО «Издательская Группа „Азбука-Аттикус"»
Тел.: (495) 933-76-01, факс: (495) 933-76-19
E-mail: sales@atticus-group.ru; info@azbooka-m.ru

В Санкт-Петербурге:
Филиал ООО «Издательская Группа „Азбука-Аттикус"»
Тел.: (812) 327-04-55, факс: (812) 327-01-60. E-mail: trade@azbooka.spb.ru

В Киеве: ЧП «Издательство „Махаон-Украина"»
Тел./факс: (044) 490-99-01. E-mail: sale@machaon.kiev.ua

Информация о новинках и планах на сайтах:
www.azbooka.ru, www.atticus-group.ru

Информация по вопросам приема рукописей и творческого сотрудничества
размещена по адресу: www.azbooka.ru/new_authors/

YSMN1906101R